自然死への歩み 1

認知症にならないための覚書

木暮信一

東京図書出版

自然死への歩み①――認知症にならないための覚書

（２０１９年８月３日〜12月31日）

本日すなわち２０１９年８月３日は、創価学会に入会して満65年の記念日である。当時は創価学会と日蓮正宗は一体であったので、通例では入信65周年ということになる。その間のことには思い出やら貴重な経験など書き残すべきものがあり、それらはこの『自然死への歩み』の中で後述されていくだろう。

過去よりは未来ということで、わたしが目指している「自然死」への一日一日の歩みを記すことを決意した。日記風であるが、〝現在〟を起点に、時に〝過去〟にも遡り、時に〝未来〟へも思いを馳せたいと思う。脳をはたらかせ、心を自在に転じさせながら、感謝・感動の思いでキーボードを叩いていれば、「認知症」にはならないはずである。

2019年8月3日(土)

猛暑日である。7月30日の梅雨明け以降、気力をそぐような暑さが続いている。加えて、大リーグのエンゼルスのチーム成績そして大谷翔平選手の成績もイマイチで、BS放送を楽しみながらも、最近ではストレス源になりつつある。

それはともかく、今日は久しぶりに高崎の姉たちや諏訪の叔父と連絡を取り合い、母・良枝の7回忌を8月17日に内々で行うことに決めた。早いもので6年が経過したことになる。父・誠也の方はわたしが32歳の時に逝去したので36年が経過した。

父の死のときは、勤務していた日本医科大学・第2生理学教室のFY教授と険悪な仲にあった最中で、退職に追い込まれるかもしれない状況にあった。わたしは末っ子長男だったので喪主を務め、通夜・告別式で「父は何も遺してくれたわけではないが、人生を生き抜いていくうえで信仰の重要性を刻みつけてくれた」という骨子の挨拶をした。1週間の喪が明けて大学へ行き教授に参列の御礼を述べると、「生理学は長男がやるべきだ」と訳のわからないことをいわれ、退職どころか研究精進を促された。後日、教授秘書から「告別式での挨拶に胸打たれた」とのことを伝えられた。父には親孝行することができず、最後の最後まで脛をかじらせてもらったと思った。

一方、母は肺がん・乳がんを乗り越え、ケアハウスで多くの友人との交流を楽しんでいた晩年だった。88歳の秋にクモ膜下出血で倒れ、埼玉の圏央所沢病院へ運ばれた。脳底部の出血でかなり複雑な画像を示していて「手術はむずかしい、後遺症が残るかもしれない」といわれたが、姉夫婦たちや甥の外科医とも相談し手術を受けることに決めた。結果は良好で、言語障害は残っていたが、ほどなくリハビリも受けることになった。ところが暮れに痰の吸引をきっかけに肺炎を起こし、容体は悪化しての年越しとなった。1月7日、89歳の誕生日を迎えて回復傾向を示しながら、瑞穂町の高沢病院に転院した。その後は一進一退という状態で、意識はまだ残っていながらも眠っている時間が多くなっていった。強靭な生命力を発揮しつつも、7月10日に霊山へ旅立った。母の場合には十分な看取りの時間をとることができ、後に述べるが、「神経生理学的少欲知足論」完結への啓発を受けたのだった。

２０１９年８月４日(日)

ここのところ熱帯夜ということもあって熟睡できない。10時ごろに就寝、5時には起床、その間2時間おきにトイレだ。糖尿病性の末梢神経障害と自己診断しているが、膝から下の脚の感覚が変である。痛みのような感覚麻痺のような変な感じである。入浴後は軽くなるので、それほど重症だとは思っていない。「医師でもないのに勝手な診断をするな」と娘などに叱られているが、ケセラセラを決め込んでいる。

日本の医療経済は異常である。先端医療技術の名のもとに検査が行われ、より的確な診断が可能となり、その結果に基づく適切な治療も行われているように思われる。しかし、である。明確にはわからないが、その割には完全治癒例が上昇しているとは言い難い。昨年ノーベル生理学・医学賞に輝いた本庶佑先生が開発した免疫療法を基盤にした肺がん治療薬オプジーボの治癒例も2〜3割だと聞いている。当初、その治療費は何千万円の桁で、それが保険適用となり何百万円の桁になったようであるが、治癒したとしても家庭経済が破綻しかねない。経済的に裕福な人間だけしか医療を受けられない、というのは真の医療なのか。その医療システムを維持するために税金をつぎ込みながら、ますます医療費は高騰するばかりである。超高齢化社会における医療経済は抜本的な解決策を待ち望んでいる。

わたしは某大学病院に30年近く通院していたが、本年初頭からそれを止めた。肝疾患(C型肝炎)・心疾患(心房細動性不整脈)・糖尿病という成人病を抱え、快方へ向かうどころか治療薬は増える一方であった。病院から出されるさまざまなデータの分析を自分で行ったところ、おもに血液検査の数値は4〜5月と9〜10月に悪化することがわかった。

わたしにとっては授業・実習が開始される前期・後期の初めの期間に悪くなるということである。毎年繰り返される数値の変動から、薬剤の治療効果はほとんど認められず、むしろストレスと割り切って考えた方がよいと思った。通院を自己診断で止めることには勇気が必要であったが、それを決行し現在に至っている。本年3月に退官し、そうしたストレスからも解放され、今後わたしの予想が正しければより快方に向かっていくのではないかと秘かに思っている。同時に、その方がわが国の医療経済の好転に貢献できるのではないかとも考えている。

偉大な先輩・岩木正哉さん（逝去時は理研・研究室長）のときもそうであり、昨年の細野芳和義兄（JR上毛高原駅長など歴任）のときもそうであったが、それぞれ脳腫瘍と急性骨髄性白血病で入院し、放射線療法をはじめとしてさまざまな治療を受けた。お見舞いを重ねながら、わたしは「病院につかまってしまった」という印象をもった。現在の医療現場でも相変わらず、「医師が上で患者が下」というパターナリズムが徹底されており、治療を拒否することなどできない空気があった。通院していたわたしの場合でも同様であった。2人には助言できるほど確信がなかったが、自分の場合には治療拒否を実行しようと思うようになり、本年初頭からの通院停止を決意した次第である。その確信のもとになったことについては拙著『ミトコンドリアはミドリがお好き！──究極のヒューマン・

パワー・プラント』（東京図書出版、2015年）に展開してある。

2019年8月6日㈫

未明に台風8号が宮崎に上陸し、西日本の被害が予想されている。8月5日には宮城沖を震源として震度5弱の地震が起きた。本当にわが国は災害列島である。日蓮大聖人が『立正安国論』を上奏したときの鎌倉時代の様相、水災・風災・火災が頻発していた状況とよく似ている。

東日本大震災のとき「想定外」ということばがよく使われたが、気象庁による地震年表を見てみると死者が出るような地震だけでも頻発していることがわかる。台風などによる風水害などを加えると、まさに災害列島ということばが真に迫ってくる。そういう実態を直視せず、旧建設省や国土交通省は相も変わらずの施策をやってきたものだと呆れてしまう。阪神大震災後の仮設住宅と東日本大震災後のそれとが類似していることを見ても、対策の無策ぶりが露呈している。しかも災害3年後ぐらいまでは政治家が訪れたり、マスコミが取材したりして注意を喚起するが、時の経過とともに状況はほとんど変わっていないのに希薄化していってしまう。

オスロ：王宮への通り

オスロ：フィヨルドに点在するセカンド・ハウス

わたしは先にあげた拙著でセカンド・ハウス構想を提案した。セカンド・ハウスとはファースト・ハウスから少し離れた場所に建てられた別宅のことである。ノルウェー・オスロに行ったとき、オスロ市民はフィヨルドに点在する島々に別宅を所有しており、週末は家族や友人たちとそこで過ごすという。そのセカンド・ハウスは3～5LDKの規模で300万円ぐらいだと教えられた。日本の場合は一部の高額所得者が別荘なるものを所有しているが、わが国の経済発展を支えてきた国民一人ひとりにとっては夢のまた夢である。しかし、300万円ぐらいならば、わが国とて何とか手の届く範囲なのではないか。こうした備えがあれば、ファースト・ハウスが被害を受けたとしてもセカンド・ハウスに移動して備蓄してあるもので、ある程度の期間は過ごせるであろう。

過疎化が進む地域にセカンド・ハウスを求めることは、比較的安価であること、また過疎化を防げるという意味でよいアイデアであるかもしれない。最近発表された〝空飛ぶ車〟は、これからの人や物の動きを変えるものとして期待される。わたしはむしろドローンを大型化したものを考えていて、1～3人が乗って操作し、物品も運べるものである。現在、過疎地の高齢者たちの生活を支えるためにミニスーパーマーケットの役割を果たす巡回ワゴンが若い経営者の善意によって実施されている。ワゴンだと道が必要であり、山村の集落へたどり着くためには危険も伴う。その点、ドローンならば、過疎地であるがゆえにへリポートならぬドローンポートを造成することは容易であろう。こうしたドローン・システムはこれからの物流や医療のあり方などを変え、都会への集中という流れ自体も抜本的に変えていくのではないかと思われる。

2019年8月7日㈬

昨日に記述したアイデアを、月刊誌『潮』の随筆コーナー「波音」への投稿を意識して以下のようにまとめてみた。結果は梨の礫で、掲載には至っていない。

〝ドローン〟社会への期待

わたしは本年の3月に大学を退官し、第2の人生を模索している。時間が十分あるので、友人や知人と自由にディスカッションできることが楽しみである。いままでのお金こそが大事であるという〝金本主義的幸福観〟を脱し、自由な時間が持てることが裕福だという〝時間主義的幸福観〟へ転換しつつある人生に秘かな充実感を覚えている。

そうした考えに至ったのは、長年の研究によって、わたしたち生物を構成する細胞の中に多数のミトコンドリアが存在し日夜エネルギー分子であるアデノシン3リン酸(ATP)を合成してくれていること、しかも緑の光を浴びるとミトコンドリアのATP合成能力が1・5倍ほど上昇することがわかったからである。簡単にいうと、緑の森を散策したり芝生の上に寝転んだりすることでミトコンドリアが活性化し、食事の回数を3回から2回に節約することができるかもしれないということである。この辺のことは拙著『ミトコンドリアはミドリがお好き!——究極のヒューマン・パワー・プラント』(東京図書出版、2015年)で述べてある。

時間的余裕がある仲間たちとの語らいはこの上なく楽しいものになる。超高齢化社会への不安が解消されるだけでなく、さまざまな明るいアイデアも出てくる。先日も〝空飛ぶ車〟が近未来に実現しそうだというニュースをもとに、むしろ車というよりドローンの方が有効なのではないかと話が盛り上がった。無人よりも有人で操作し、ワゴン車ほどの大きさにすると、過疎地に暮らす高齢者のところへの物品配達が容易に可能となる。過疎地なのでヘリポートならぬ〝ドローンポート〟を集落単位に造成すれば、高齢者にとってのコンビニになるに違いない。〝ドクタードローン〟も考えれば、懐かしい昔の往診医療の現代バージョンである。有人ドローンを考えるのは、高齢者とのコミュニケーションが大事であるという視点に立っている。

このドローン・システムは現代の様相を革新的に変えていけるかもしれない。一極集中といわれて久しいが、若者が都会へ出ていくという人の流れが緩和されるだろう。都心にドローンポートを造ることはむずかしいので、ドローン・システムを利用する会社や公共機関は郊外や地方へ分散する。逆に日常的に起こっている交通渋滞や通勤ラッシュ時の混雑が低下するに違いない。

今まで便利さを求めて首都圏や大都市圏に住宅を得ることが最重要事であったのが、郊外や過疎地でも同等の便利さが期待できるのであれば、そうした地域への住民移動が起こるかもしれない。なにせ住宅が廉価なのだから。ファースト・ハウスだけでなくセカンド・ハウスを手に入れることも容易であろう。災害列島で暮らす以上、いつ被災者となっても不思議ではない。ファースト・ハウスが被災したら、食料・水・生活必需品を備蓄してあるセカンド・ハウスへ移って当座をしのぐことはできるだろう。

食への不安、住への不安を少しでも減らすことができれば、わたしたちは超高齢化社会にあってもより健康的に生きていけるに違いない。緑豊かな郊外や地域で暮らすことは、ミトコンドリアが活性化すること、ナチュラル・キラー細胞が活性化してがん化を防ぐこと、ストレスが緩和されることなどを促す。認知症の予防につながるかどうかは不明であるが、不安が解消され安心が得られれば笑顔が自然と溢れてくる。笑顔の表出は認知症の対極にあるのではないかとわたしは思っている。

ここではドローン・システム開発に関する技術的側面にはふれなかったが、先駆的な企業がそれに取り組んでいることは聞いているので、まさに近未来にモデルケースが実現されるのではないかと予想している。社会へのドローン・システムの導入はさまざまな分野に恩恵をもたらすと期待できる。

木暮信一（創価大学・名誉教授）

2019年8月8日㈭

一昨日は「広島原爆の日」、明日は「長崎原爆の日」である。それぞれ式典が行われ、各市長は核廃絶の提言を訴えてきたが、総理の挨拶にはその点が不明確である。明確にすると日米同盟にひびが入り、アメリカの核の傘の恩恵を受けられなくなるということなのだろうか。戦後70年以上が経過しても、また東日本大震災に伴う大津波による福島原発事故を経験しても、この肝心なことに関してどのような議論がなされてきたのか全く知らされてこなかった。反対か賛成という二者択一ではなく、第3・第4・第5の選択肢はありえないのか。

戦争は破壊への衝動であり、衝動的な憎悪の発動である。対して、平和は建設への指向性であり、愛と信頼の発露である。これらの基盤に生存欲という根源的な欲望がうごめいていることは間違いない。さらに本能的欲望や精神的欲望も加味されて、それらの欲望の発現は複雑なものとなる。知恵ある人たちがこの「欲望論」を議論して、第3の選択ができる哲学・思想を打ち立ててもらいたい。

ヨーロッパの大学は神学部（哲学部）・法学部・医学部をそなえてuniversity（総合大学）といわれてきた。わが国もその体制を真似て大学が創設されてきたが、最近では哲学部はおろか哲学科も消滅しつつあるという。経済や自然科学が優先されて、それらを学び身につけることが就職への早道というわけである。人生を長く生きてきてみると、先にあげた「欲望論」をはじめとして「哲学する」ことだらけである。居酒屋の数と同じくらい、そうした難題を議論できる「哲学カフェ」があってもいいのではないかと思っている。

わが国が欧米の近代科学を取り入れるようになったとき、東京大学で土木学を講じた広井勇教授（1862―1928）の「何のために工学はあるか」という指摘は、現代の科学技術問題や欲望の問題を考えるとき、実に示唆深い視点を与えている。「もし工学が唯に人生を煩雑にするのみならば何の意味もない。これによって数日を要するところを数時間の距離に短縮し、一日の労役を一時間に止め、それによって得られた時間で静かに人生を思惟し、反省し、神に帰るの余裕を与えることにならなければ、われらの工学は全く意味を見出すことはできない」(『現代日本土木史』)。工学を科学技術と置き換えると、科学技術は確かに生活を便利にさせる効用は認められるものの、それは決して目的ではなく手段であって、精神的な安寧や成長を中心とする幸福感を醸成させる時間的余裕をもたらすものでなくてはならない、という透徹した眼差しが見てとれる。

台湾へ行ったとき、親日の人たちの多いことに驚いた記憶がある。台湾は一時日本が統治していた時代があり、台湾総督に任じられた後藤新平が同郷の新渡戸稲造を呼び寄せて製糖業を起こしたり、広井教授のもとで土木学を学んだ八田與一が台中の治水のためにダム建設に関わったりしたことなど、台湾への貢献を人々が忘れていない証左だと思った。身近な台湾の歴史が、戦争か平和かという二者択一ではない第3の選択が存在することを教えている気がする。

2019年8月9日㈮

朝から「KSとフリーアナウンサーのTKが結婚」という報道でもちきりである。しかも官邸前での会見で、「官房長官への報告と総理への報告」と言い切って憚らない。何という呆れた会見か。そこへ群がるマスコミもマスコミである。

それを見ているわたしも相当なミーハーなのかもしれない。夕方になると、小泉純一郎元総理のコメントも加わり、フィーバーぶりはエスカレートしている。全英女子オープンゴルフで樋口久子さん以来42年ぶりにメジャー制覇を果たした渋野日向子さんが「フィーバーがそっちへ向けられ助かった」と言ったそうだが、何という健気さか。〝スマイル・シンデレラ〟といわれたアスリートの上品さと対照的に、公私混同甚だしい政治屋の下品さが際立ったニュースであった。

2019年8月11日(日)

お盆の帰省が始まり、相も変わらず高速道の渋滞が報じられている。渋滞研究の専門家がコメンテーターとして出演し、東名は秦野あたりから30㎞、中央道は相模湖あたりから45㎞、関越は高坂あたりから35㎞……など、悦に入ったように解説している。それを聞いて渋滞が解消されるわけではなく、年中行事だから仕方なく取り上げているような気がする。つまり去年の渋滞予報とほとんど変わりがなく、多分国家予算を使用しながら研究らしきものを行っているとは思うが、何ら進歩が見られないということか。

がん研究なども同様で、1980年代より抗がん剤開発のために莫大な予算が投じられてきたが、早期発見による5年生存率の上昇は認められるものの、完治率はそれほど上昇しているとは思われない。薬剤開発や治療にかけたコストに対する完治という成果、すなわちコスト・パフォーマンスはむしろ下降しているのではないか。

iPS細胞研究もしかりである。山中伸弥教授が*CELL*に論文発表したのが2006〜2007年、京都大学iPS細胞研究所ができ所長になったのが2010年、ノーベル生理学・医学賞を受賞したのが2012年である。こちらにも多大な予算が投入され、京都大学キャンパスに立派な研究棟が完成し、画期的な再生医療の成果が今か今かと期待されてきた。眼の網膜の加齢黄斑変性症の患者さんに患者さん自身から作製したiPS細胞をもとに視細胞をつくり、それをシート状にしたものを網膜に移植するという再生医療を理研（神戸）のTMチームが2014年に行った。手術から1年を過ぎた患者の状態について、「がんなどの異常は見られず、安全性の確認を主目的とした1例目の結果としては、良好と評価できる」と発表した。視力は術前とあまり変わらない0・1程度を維持しており、患者女性は「明るく見えるようになり、見える範囲も広がったように感じる。治療を受けてよかった」と話していると報告された。2017年3月16日、術後1年間の経過観察後の上記の加齢黄斑変性の手術に関する論文を最終発表した。２症例について報告し、そのうち症例1ではiPS由来の組織は定着しているものの、視力は良くも悪くもなっていなかったが、術後４週間で消えていた病変である浮腫が再度現れたことを報告している。症例２ではiPS細胞から作った細胞が遺伝子異常を示したので移植を見送ったとしている。その後手術が行われないところを見ると、総じて成果はほとんどなかったといってよいのではないかと思っている。

科学技術の発展の名のもとに多くの国家予算が割り当てられてきたが、そのコスト・パフォーマンスに関しては厳しく検証する必要がある。できる限り無駄を省いて、仮設住宅で暮らす人々や災害被災地の復興の方を優先的に支援するべきであろう。

2019年8月12日(月)

渋滞の映像を見るたびに思い出されることがある。１９９４年４月から翌年３月までのカナダ・バンクーバーでの在外研究生活である。住環境や食糧事情に関してはいろいろなところで述べてきたので、ここではフリーウェイについて言及しておきたい。

まさに（料金）フリーであるから、いつでも安心して利用することができる。むしろ、アメリカやカナダは車社会であるから当たり前のことなのであろう。わたしも滞在中、バンクーバーからトロントぐらいまでチャレンジしようかなと思ったこともあったが、日帰りできるところまでで戻ってしまい、悔いが残っている。２００〜３００㎞ごとにパーキングスペース・スーパーマーケット・モーテルが用意されていて、長い旅を楽しむことができる。マーケットで食料品などを購入し、モーテルで調理して食事をして一泊する。その費用たるや家族４人ぐらいでも３０００円ぐらいである。西から東へ移動しながら、自然を楽しみ、人との交流も楽しみ、10泊ぐらいかかったとしてもガソリン代を入れて５万円ぐらいである。こうしたシステムが用意されていれば、家族旅行は季節の当たり前の行事となろう。また学生にとっては7〜8月のロング・バケーションを利用して視野を広める格好の機会となる。豊かな経験は人格を磨くもとにもなっているのではないか。

わが国の高速道にもこうしたシステムをつくってもらいたいものである。高い高速料金も徴収されるし、サービスエリアはあっても物の値段が幾分高い。車中泊などするようなら警察へ通報されて追い出されそうである。

経済大国などといわれながら、細かく社会システムを見てみると、経済的成果が国民の幸福へ還元されていないことが見えてくる。カナダから帰国したとき読んだ、オランダのジャーナリスト・ウォルフレン氏が著した『人間を幸福にしない日本というシステム』

（毎日新聞社、１９９４年）で批判されていた事柄がいまだに改められてはいない。そこで指摘されていた一つに〝説明責任〟ということがあった。政治家や官僚、企業のトップなど、やってしまった不始末やこれからやろうとする計画などについて説明責任を果たさず、理由もなく「申し訳ありませんでした」「よろしくお願いいたします」と頭を下げる点である。本来、会見の場で、国民に代わってマスコミは理由や根拠を求めるのが当たり前なのだが、それをしないところを見ると「長いものに巻かれる」マスコミもトップ側ということがわかる。

２０１９年８月15日㈭

戦後74回目の「終戦記念日」である。東京の武道館で黙禱がささげられているとき、台風10号が四国に上陸、次いで中国・近畿と進んで西日本に豪雨をもたらしている。世界の平和と民衆の安寧を祈りつつも、そうした祈りは通じず自然は猛威を振るっている。日蓮大聖人の『如説修行抄』に基づけば、まだまだ「吹く風枝をならさず雨壌（つちくれ）を砕かず」という境界に日本の国土世間が至っていないということか。

ここのところＮＨＫのＢＳ放送でずいぶん前に放映された『シルクロード』が再放映さ

れている。昨日・今日はタクラマカン砂漠のローラン（桜蘭）周辺が取り上げられ、砂上に突き出た仏塔や住居跡に関する解説がなされている。往時は広大なオアシス都市国家であったらしい。わたしも昔、スウェーデンの探検家・ヘディンが著した『さまよえる湖（ロプ・ノール）』を読んだ時の記憶がかすかながら蘇った。カシミール高原に端を発するタリム川がタリム盆地にオアシスをもたらすが、砂漠の風の勢いで湖を干上がらせ位置を変えてしまう。壮大なスケールの自然の変化に脅威とわずかな畏敬の念を覚えたものである。

中央アジアはシルクロードを通しての交易の場でもあり、紛争の場でもあった。この辺のことに詳しい元創価大学教育学部のＫＭ教授に聞いた話であるが、都市国家の栄枯盛衰の原因には自然の猛威もさることながら、当然のごとく豊かな水と緑をめぐる周辺大国の侵略が繰り返されたことによるという。さらに、都市国家の人々は仏塔が象徴するように仏教を信仰していたが、そうした人々を指導すべき僧侶が範を示さず、むしろ小乗教を奉じながら戒律を犯していたとのことである。小乗の「五戒」といえば、「不殺生戒」「不偸盗戒」「不妄語戒」「不飲酒戒」「不邪淫戒」のことであり、とくに最後の二つを守らず不摂生な生活を送っていたようである。為政者や尊敬を受けるべき存在である人たちが嘘をついたり不倫をすれば、人心が離れるのは当然のことである。『立正安国論』の「国土乱れん時は先ず鬼神乱る、鬼神乱るるが故に万民乱る」のとおりである。シルクロードの史実は現代の日本社会を痛烈に批判しているようにも思える。

2019年8月19日(月)

一昨日は母の7回忌であった。姉弟と諏訪のKM叔父夫婦が高崎の八幡霊園に集まり、唱題を捧げた。35度ぐらいの猛暑日。長くいられないので会食会場の美喜仁飯店へ移動し、2時間ほど歓談した。ノンアルビールと懐石料理に舌鼓を打ちながら、思い出話やら現況報告やら楽しい一時であった。話題の中心は年金問題で、KM叔父の勤務先が京セラでもあったので、あまるほどの年金をいただいているとのことであった。「年金、100年安心プラン」などといわれてきたが、世代間の格差を目の当たりにすると年金行政のいい加減さが目立つ格好になった。公明党もそこに与していたのだから、真正面から説明責任を果たして透明化を図るべきだと思ってしまう。

細野和子姉を下之城におろし、TK宅に一泊した。今度は本物のビールだったので酔いが進み、話が弾んだ。空気ベッドを初めて経験したが、まんざらではない寝心地であった。6時ごろにTKさんが淹れるコーヒーのよい香りで目覚める。早速ピザトーストの朝食をいただく。日曜なのでテレ朝とＴＢＳのサンデーモーニングを見ながら、険悪な日韓関係や「あおり運転」の議論を聴く。

涼しいうちにと、一晩の駐車料２７００円を払って、10時ごろ帰路につく。高坂で鰻ランチを食し、午後1時半ごろ帰宅。夏の行事が終わり、今週のハリアー定期点検が終わったら、少し旅に出ることを考えよう。一つ一つ時間をかけて過ごしていることに感謝と充実感を感じている。

2019年8月21日㈬

猛暑日が続き熟睡できない熱帯夜が続いたせいか、熱中症のような感じである。珍しく食欲がなく、家でゴロゴロするばかりである。今日はハリアーの1年点検の予定であったが、土曜日に延期してもらった。体調が悪くなると「治療拒否」などと強がりを言えなくなりそうである。しかし「自然死への歩み」は始まったばかりなので、そう簡単には音を上げないようにと決めている。

そもそも「自然死」とは何か。世間でもあまり耳にしないことばであり、「そういう死に方もあるのか」と訝しく思うかもしれない。わたし自身も確固としたものをもっているわけではなく、そこへ至るまでにはかなりの道程があったのでその辺の経緯にふれなくてはならない。

振り返ってみると、1980年代から「脳死」「心臓死」「安楽死」「尊厳死」など「死をめぐる生命倫理問題」が盛んに議論されるようになったが、そのきっかけをつくったのが評論家・立花隆氏が著した『脳死』（中央公論社、1988年）であった。後にわが国において「バイオエシックス」なることばが盛んに使用されるようになり、日本生命倫理学会が設立される流れをつくったものである。

わたしは当時、日本医科大学の講師であり脳研究者ということで「創価学会生命倫理研究会」に加わり、1989年、創価大学生命科学研究所に移ってから本格的にそのメンバーとして活動するようになった。創価学会に対してもマスコミからの問い合わせがあり、教団の見解をまとめる作業に携わったというわけである。この研究会で「死をめぐる生命倫理問題」、後に「生をめぐる生命倫理問題」に関して学べたことはわたしにとって生涯の宝となっている。なぜなら、その研究会には医師・看護師・基礎医学研究者・哲学者・倫理学者・宗教社会学者・仏教学者・弁護士などが含まれ、それぞれの研究発表を互いに聴講するとともに、質疑応答も活発に行うことができたからである。

最初に取り組んだのが「脳死」および「脳死体からの臓器移植」というテーマであった。

これらはわたしの専門分野の脳科学に関するものでもあり、毎週1回のペースで開催される研究会での発表回数はかなり多かった。今のようにウィキペディアもなく、図書館で文献を検索することが多かった。通常の講義と研究を重ねながらの作業であったので、まさにわたしにとってはかなりの負担であった。しかし、不思議なことに辛いという思いより新たな知識を吸収できることの方に喜びを感じていた。

2019年8月23日㈮

続きである。

わが国においては長く「心臓死」をもって死の判定としていた。いわゆる「心停止」「自発呼吸の消失」「対光反射などの脳機能の消失」という「三徴候」が確認できれば、「ただいま臨終」ということになったわけである。江戸時代における呼吸停止の判定に「属纊之期（ぞくこうのき）」を調べる方法があり、鼻のそばに置いた纊（綿）が揺るがないことで判定していたそうである。三徴候の順序は人それぞれであり、呼吸停止か心拍停止か、いずれが先行しても血流を通して酸素が供給されなければ脳をはじめとする多臓器は不全状態になり、死に至る。脳機能の停止が先行する「脳死」の例もあったに違いないが、脳に呼吸中枢や循環中枢があるのでやがては呼吸停止・心停止がもたらされ、死に至る。

したがって、現代的な意味での「脳死」は人工呼吸器（レスピレーター）の開発によって注目されるようになったわけである。すなわち、何らかの原因で脳機能が消失し自発呼吸が停止したにもかかわらずレスピレーターが装着されて酸素が血液に供給され、機能している心臓によって循環が維持されて脳以外は生きているといってよい状態である。心拍はあり体温も維持されている、この状態は「人の死」といえるのかという問題を提起したのである。脳死といっても全域がダメージを受けている「全脳死」、脳幹の部分がダメージを受けている「脳幹死」、脳幹はほとんど機能しているが大脳がダメージを受けている「植物状態」と分類されて議論されてきた。

これらのことに関しては創価学会生命倫理研究会編『生と死をめぐる生命倫理──脳死・臓器移植問題』（第三文明社、１９９８年）にまとめられている。基本的に「脳死を人の死として認める」「本人の意思表示が明確であれば脳死体からの臓器移植を認める」という立場を明示した。ただし、「脳死の判定基準」を厳密にする、とくに「脳血流消失」を補助検査ではなく基準の中に入れる、再検査までの時間は6時間と限定せず看取りの時間という観点から24時間以上とする、という条件を付した。当時、宗教界からの提案はなく、その意味では画期的な見解であると評価された。そこに関与したものとして、

1992年の「脳死臨調」の最終答申や1997年のいわゆる「(脳死)臓器移植法」の基調をもたらしたと自負している。

2019年8月24日(土)

続きである。

次に取り組んだのが「安楽死・尊厳死」問題であった。「安楽死論」については長い歴史があり、わが国でも森鷗外の『高瀬舟』でも表現されてきた。安楽死には「積極的安楽死」「消極的安楽死」「任意的安楽死」「非任意的安楽死」などいろいろな分類がなされ、それぞれの是非が「生命の尊厳」や「人権」などの観点から論じられてきた。

大勢は「否認論」であったが、時代の変遷や医療技術の発展などによって変容してきた。とくに1970年代にアメリカ・ニュージャージー州で「カレン・アン・キンラン事件」が起こり、両親から「重篤な植物状態に陥った娘を美と尊厳が保てるうちにレスピレーターを外して死なせてほしい」という訴えがなされた。州高裁では「州が州民の生命を守る義務の方が尊重される」との理由で訴えが却下されたが、州最高裁では「美と尊厳を守る方が価値がある」と訴えが認められレスピレーターが外された。一審と二審との間には約半年の経過があり、カレン嬢の衰弱ぶりはひどく見るに忍びない状況に変化したといわれる。しかしレスピレーターを外してみると自発呼吸が復活しており、その後カレン嬢は約10年間生き続けた。このように安楽死の対象とされる植物状態にはかなりの幅があり、一概に基準を設けて決定できない特徴がある。

このカレン事件が「Death with dignity」ということばでわが国に伝えられたとき、「尊厳死」という翻訳がなされた。その対象となる患者の状態は安楽死を望む人々の状態と似ているが、尊厳死の場合は死のあり方として「美や尊厳」という視点が加わっているのである。この事件がきっかけとなり、アメリカ各州で議論が盛り上がり、カリフォルニア州で「自然死法案」が議決され、厳しい条件のもとに尊厳死が合法とされるようになった。すなわち、1976年、カリフォルニア州で植物状態に陥った終末期には、生命維持装置を使用しないか、取り外すことを医師に要請する文書（リビング・ウィル）を、知的精神的判断能力があるときに証人を立てて作成する権利を住民に保証する法律を制定したのである。この法に基づいて作成されたリビング・ウィルに従って行動した医師または医療関係者はその責任を問われず、またはリビング・ウィルに従った結果の死亡は自殺ではなく保険関係での不利益を受けないこと等が定められている。

わが国においては1962年の名古屋高裁が発表した「安楽死の違法性阻却事由」とし

ての6条件があり、また1995年の横浜地裁の「医師による積極的安楽死の4要件」があり、安楽死が容易には実行されない歯止めとなってきた。その後も何度か安楽死事件が報道されてきたが、当然ながら「積極的安楽死」や「非任意的安楽死」は現在でも容認されていない。しかし、医療現場においては必要最小限の治療に止めるという、いわば「消極的安楽死」やそれを言い換えた「間接的安楽死」は本人や家族の了解のもとに行われているようである。詳しくは、やはり創価学会生命倫理研究会編の『仏教の立場から安楽死・尊厳死をどうみるか』（第三文明社、2001年）を参考にされたし。

わたしが本書のタイトルとして使用している「自然死」は「カリフォルニア州自然死法」の自然死とは異なり、植物状態やがんの末期状態を想定せず、文字どおり「自然に死んでいくという死のあり方」である。医療や治療ということとできるだけ距離を置き、自分の生命力に任せるという捉え方である。現代社会の中でそれを実行することはむずかしいが、自宅でできる痛みに対する服薬だけは除外せず、それ以外の検査や診療は受けないという立場である。「ミトコンドリアはミドリがお好き」を発見したので、森や芝生で緑光浴を楽しめば、細胞の活性化、がん化の防止、ストレスの緩和につながるという信念に基づいている。そうした行動を続ければさまざまな病気の発症を防ぐことができ、もし細胞レベルでミトコンドリアの活性化が破綻をきたせば、それこそ寿命が尽きることになる。

わたしの運がよければミトコンドリアの活性化は長く続き、わたし流の「自然死」が全うできると楽観視している。

2019年8月27日㈫

8月も終わりに近づき、秋の気配が漂う今日この頃である。秋雨前線の影響で九州北部が豪雨である。毎年のように洪水や土砂災害が起こるので温暖化の影響かと考えてしまう。瑞穂町に越してきて30年以上経つが、不思議なことに大きな災害がない。立川断層の上にあるのでそのうち直下型の地震が来るなどといわれるが、瑞穂という地名から多分起こらないと思ったりしている。地名の歴史的由来という観点から災害対策を考える必要があるのではないか。

ソフトバンクの孫正義氏が「日本は後進国と認識すべきだ」と提案している。戦後75年になろうとしているが、その間の経済発展とは裏腹に国民一人ひとりのさまざまな経済指数は諸外国と比較してかなり低レベルとのことである。この指摘には説得力があるものの、そもそもの先進国・後進国という分類が経済基盤に基づいていることに疑義がある。ブータンの国民幸福度や文化的基盤など、他の尺度を入れて総合的に判断するべきだと思う。

また時間的観点から、スローライフの徹底なども考慮すべきであろう。戦後の焼け野原からの脱却ということが刷り込まれ過ぎていて、あくせく働くことが至上命題のようにされてきた。いまだに満員電車で通勤することに誰も怒りを感じる人はいないのだろうか。多大なストレスを受け続ける人たちが霞が関で降りて、行政の中心である省庁へ向かう。そこから国民を幸せにする施策が生み出されてくるのだろうか。まさに「人間を幸福にしない日本というシステム」が軋みを上げながら最後の力を振り絞っている。

2019年8月29日(木)

明け方に右脚が攣り、1時間くらい奮闘した。耐えられない痛さではなかったが、なかなか治らないので思いが嫌な方へ向いてしまう。心房細動性不整脈をもっているので、脚の攣りではなく心筋が攣ればあっという間にあの世である。苦しみはあろうが短時間であるから、ある意味究極の自然死になるかもしれない。

7月24日に創価大学・高等仏教研究所の辛嶋静志所長の突然の訃報が届いたが、睡眠中の心筋梗塞であったらしい。有能な仏教学者で、フランス・アカデミーで講演するなど世界にその名を馳せていた。61歳での逝去であったから大学にとっても惜しい人材を失った

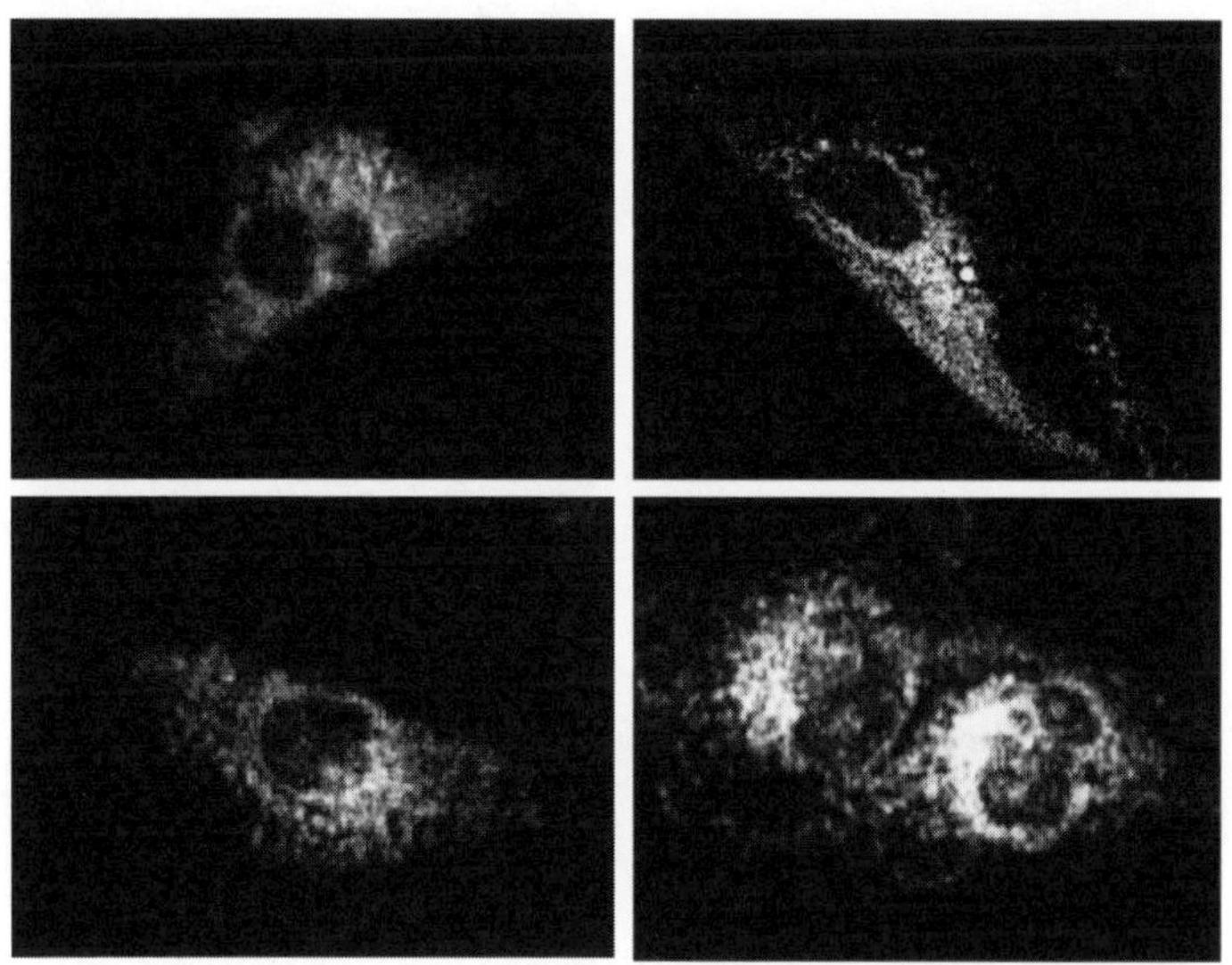

『ミトコンドリアはミドリがお好き！』の表紙の写真

左上は非照射、右上は60ミリワット・20分照射、左下は40分照射、右下は60分照射；緑色低出力レーザーの照射によって顆粒状のミトコンドリア（白色の点状に染まっている部分）が増え活性化する。

ものである。しかし、サンクトペテルブルグのロシア・アカデミーの協力のもと、中央アジアで発見された仏教経典の写本の写真集を出版するなど、その功績から考えると、〝出世の本懐〟を遂げての旅立ちであったともいえるだろう。

わたしにとっての出世の本懐は何か。現役のときはそんなことは考えたこともなかったが、いまでは時々考えるようになり、『ミトコンドリアはミドリがお好き！――究極のヒューマン・パワー・プラント』を著したことだと思っている。少々詰めの粗い内容であり、表現や図表の使用に稚拙さがあったせいか、4年も経過しているのに増刷にも至っていない。最近のＮＨＫの健康番組でミトコンドリアが取り上げられ、ミトコンドリアの活性化がダイエットにつながると説明されていた。わたしの著書にはふれられていなかったが、そのうち理解される時が来るかもしれない。出世の本懐とはそれほど軽いものではなく、その英語版こそが出世の本懐にふさわしいと自戒もしている。最新の翻訳ソフトにもチャレンジしてみよう。

2019年8月31日㈯

8月も終わりで、退官して5カ月が経過したことになる。ノーストレスで嬉しい限りであるが、研究室の片づけが終わってからは少々時間を持て余し気味である。最近では年金生活にも慣れ、やはり年金だけでは賄えず、月10万円ぐらいは持ち出しである。経済面での将来に対する不安がないことはありがたいことである。わが国ではこの点に関して無策で、不安を抱えて生きている人の方が圧倒的に多い。そのことを考慮しながら、わたしのこれからの人生で何ができるか、真剣に考えていきたい。

NHKのBS放送で「HONEBONE」なるフォーク・デュオと出会った。居酒屋や建設現場を訪ねながら、そこで出会った人々の体験談を聞き、それをもとに5分ぐらいで即興の曲をつくり歌うのである。女性がシンガーで、男性はギタリストである。異国の地で働くマレーシア人が月に2万～3万円親元に仕送りしている話をもとに本人の前で歌っていたが、心に刺さるものがあった。マレーシアの本人も「感動した」と涙ぐんでいた。名前のとおり、骨のある活動をしているデュオの姿に、「今の若者もやるじゃないか」とこちらももらい泣きしてしまった。

2019年9月2日(月)

秋の気配とともに9月がスタートである。昨日は「防災の日」ということで、地域ごとにさまざまな防災訓練が行われたようである。いまや日本列島は災害列島といってもよいくらい地震や台風・水害などが起こっているので、日頃からそうした自然災害に対する備えを意識化することは大事なことかもしれない。

しかし、忘れてはならないことは自然には自然のリズムがあるということである。それがどういうものであるか明確ではないが、少なくとも人間が考えているようなものではなく、スケールの大きいものであろう。人間も自然の一員として自然のリズムに合わせるような人生を送るべきであり、以前からいわれてきた「スローライフ」を心掛けるべきではなかろうか。ノルウェーやカナダやアイルランドを訪れた経験から、そうした国は農業や漁業など第1次産業が盛んで、ゆったりした生活を楽しんでいるように思えた。酪農国・スイスや畜産業が盛んなニュージーランドも幸福度が高いといわれるので、いつの日か訪れたいと考えている。おしなべて覇権を争うような国ではなく、あまり国際ニュースにも登場しない国々である。

仏法に「依正不二」ということばがあるが、生活主体である人間が「正報」、それを取り巻く環境が「依報」であり、「依報」と「正報」は切っても切れない「不二」の関係にあるという。その関係性を分断するとさまざまな軋みが生じ、環境破壊や環境からのしっぺ返しとして自然災害が起こるのではないかと考えている。

この視点から「防災」を考察すると、やはりミトコンドリアが好きな「緑」の重要性がクローズアップされる。農村・山村はこの緑があふれているが、やはり都市部にも緑をあふれさせるべきである。空地や緑地を排除して都市化を進めてきたが、これからの都市は逆に空地や緑地を増やす方向に進めなければならないだろう。空撮されたパリやニューヨークなどの大都市を見てみると緑の多さに気づかされる。それに比べて東京や大阪の街並みには絶句するばかりである。京都や札幌などは何とかそのバランスを保っているようにも思えるが。

2019年9月3日(火)

妻・敦子からの音信が絶えて5カ月になる。7年前から別居状態であったが、実家の母親の介護というのが表向きの理由であった。しかし、実際は信仰のあり方に関する考え方の違いである。彼女に言わせると、わたしは仏道修行をしないだけでなく、日蓮大聖人の御書や創価学会・第3代会長の池田先生の指導に敵対する行為をしている〝獅子身中の虫〟、〝魔にたぶらかされた臆病者〟ということになっている。

別居生活後、1~2カ月に1回はこちらに来て、激しい口調で責め立てられてきた。退官直後の4月上旬、義兄・OTをともないながら突然やってきた。義兄が来るとは聞いていなかったので驚いたが、それ以上に落ち着く間もなく義兄が「退官できて甘い汁を吸わなくなれてよかった」と言い放ったので、さすがにわたしもキレてしまった。義兄の襟元をつかみ、「その甘い汁で家族は生きてきたんだ！　お前に何がわかる、出て行け！」と玄関から追い出そうとした。「お前は魔だ！　獅子身中の虫だ！　この世から消えてなくなれ！　地獄に落ちろ！」と敦子とともに捨てゼリフを残し、帰っていった。義兄は東京大学医学部の助手をつとめ、かつ内科医である。退官後は銀座でクリニックを開業している。

義兄・OTのことばを聞いて、7年前の別居のきっかけが「創価学会本部と創価大学は魔の巣窟だ」という義兄から敦子へあてたメッセージだったことを思い出した。義兄は歳を重ねても全く変わっていないと感じた。医師であるにもかかわらず、〝死ね〟だの〝この世から消えろ〟だの、よく言えたものである。昔から秀才ぶりを鼻にかけて理論で打ち負かすことに快感を覚えているような節があった。相手かまわずだから、ある意味コミュニケーション能力が欠けていたのだと思う。本来ならば、両親がそうした点を見抜き厳しく是正させるべきところ、高崎高校時代に腎臓病の克服体験をしていたことや東大・理3・現役合格を勝ち得ていたので、叱るどころか尊敬の対象にもなってきたのであろう。

それほど直接話す経験はなく、敦子からの断片的な話が主だったので、わたしは高校の2年先輩であった義兄をむしろ訝しく思っていた。そして今回の出来事を通し、義兄は社会的適応障害者であると疑問をもつようになった。存命中の母親や敦子や妹・HMなど義兄の狂気に巻き込まれてしまったのではないか。

今回のまさに狂気の沙汰のような出来事が起きてからすぐに、敦子からいつもの調子のメールが来たので、「謝罪がなければ、しばらく断交する」と返信した。以来5カ月経っても梨の礫である。これはかなり続くのではないかと腹をくくっている。「いっそのこと離婚するか？」という考えがよぎるが、この歳になって「それはそれで疲れそう」と怖気づいてしまう。優柔不断なわたしである。

2019年9月4日(水)

続きである。

妻・敦子は群馬大学の1年後輩で、教育学部で音楽教師をめざし学んでいた。青春時代、まさに社会的には学生運動が激しい時に創価学会・学生部の一員として折伏闘争をしていた。わたしは折伏に対して臆していたが、彼女の相手の悩みを何とか仏法の信仰によって救いたいという姿勢には感心させられたものである。

卒業後、埼玉の教員採用試験に受かり、和光小学校で教員となった。その2年後、群馬の教員として採用になり南牧小の教員、そして結婚後は高崎北部小の教員として勤務した。わたしの職場の関係から川口市へ引っ越しすると、再び埼玉で採用となり川口戸塚中の音楽教師となった。この間教員として勤務しながら子育てに励み、創価学会の教育部員や婦人部員の使命を全うしてきた。彼女の努力にはただただ感謝せざるを得ない。

青春時代から約50年間、彼女はその姿勢を崩すことなく強盛なる信仰者の道を全うしてきて、現在も親の介護をしながら全うしている。対して、わたしは日本医科大学助手・講師を経て創価大学助教授から教授へと教育と研究に携わりつつも、信仰者としては日和見主義を貫いてきたと反省している。たしかに創価学会の組織活動として「健康セミナー」の講師として活躍し、東洋哲学研究所の研究員としてインド・ドイツ・ロシアへ派遣されシンポジストを担当してきた。またすでに述べたように、創価学会生命倫理委員会の一員として、さまざまな生命倫理問題に対する教団の見解のたたき台を作成してきた。それらがわたしに与えられた使命であると思い、信仰者としての原点である「信・行・学」のうち肝心な「行」という仏道修行をしてこなかったといえる。

この間、創価学会が日蓮正宗から離脱するという大きな出来事があり、それに伴う教義や仏道修行のあり方の変更がなされてきた。前者に関しては日蓮大聖人の仏法を根本とし、後者に関しては創価学会・三代会長、とくに池田先生の指導を規範とするという方向性である。それは離脱以前の、いわば宗門の法主に服従するという路線から独立するというものであり、むしろ民衆救済を目標とする創価学会のあるべき形を明瞭化させるものであった。この点、敦子は大歓迎で、青春時代に誓った池田先生の弟子としての戦いを全うし、実際折伏闘争の矛先を宗門へ向けながら脱講活動の先頭になっていた。ところが、そうした活動を率先して行うべき中堅幹部の口先だけの行動に嫌気を差すだけでなく批判を加えたので、7年前に役職解任となった。除名には至らなかったが、敦子はこれこそ自分の活動の正当性を示すものだと一層誇りに燃えた。現在も実家である富岡の地で、唱題と教学研鑽、そして友人・知人への折伏活動をひたすら実践している。

時代・社会が変わろうと、日蓮大聖人と池田先生の思想哲学を根本とする信仰者のあり方は不変であるとする敦子の姿勢は真っ当なものと理解できる。しかし、中枢幹部や中堅幹部が真っ当ではないとは言い切れない。それを義兄経由の情報でわたしを説得しようと努めてきたのだが、わたしにはあやふやな情報で幹部批判をすることはできなかった。こうした信仰の姿勢の違いが7年間におよぶ別居の大きな要因となってきた。夫婦間の亀裂は簡単には収まりようがなく、むしろ妥協せずそれぞれの信仰のあり方を基盤として、

「信仰を貫くとこうなる」という実証を示したいとわたしは思っている。

余談であるが、主婦がいないので主夫にならざるを得ない。退官後は時間があるので主夫に従事しながら、三男・長女の面倒を見ている。経験してみると、主婦にしろ主夫にしろ、いっぱしの職業であることがよくわかり、妻に対してただただ感謝である。さらに、敦子の子育て時代の教員生活との両立、産休があったとはいえ復帰後の育児は、わたしの母のサポートなくしては成立しなかったのではないかと、今頃になって母に対する感謝の念が湧き上がってくる。

１９８０年代から女性の社会進出や核家族化が急速に進んできたが、それにはプラスの面とマイナスの面があることを忘れてはならない。とくに後者の面を考えてみると、社会的資源としての高齢者の役割が軽視されてきて、その結果がさまざまな分野における社会的疲弊をもたらしてきたのではないかと思えてならない。

2019年9月7日(土)

カリブ海の方でハリケーン・ドリアンが猛威を振るっている。バハマは壊滅的な状況で、フロリダにも影響が出そうである。日本にも台風13号が西日本を、15号は東日本を直撃しそうな勢いである。一方、南米・アマゾン領域での熱帯雨林火災が鎮火しそうにない。世界的に自然災害が同時多発状態である。やはり温暖化の影響で異常気象がもたらされているのか。解決のために国際会議でCO_2削減が決議されるが、それぞれの国の事情もあり忠実に実行されているか定かでない。

地球的規模で起こる自然災害に対して、人類はどう対処すればよいのだろうか。CO_2削減をめぐる国際会議のように、各国の知識人・為政者・行政官などが一堂に会し、議論を重ね叡智をしぼって実現可能な名案を打ち出すしかないのだろうか。有史以来、自然災害によって地球的規模での壊滅的な破壊はなされず、むしろ人類間の戦争による破壊の方が圧倒的に多かったので、その防止対策が優先されるべきとの意見もあろう。

仏法には「大の三災」「小の三災」という捉え方がある。『倶舎論』によれば、前者は火災・風災・水災を示し、後者は穀貴・兵革・疫病を示すという。穀貴とは飢饉などの影響で五穀が異常に高騰する経済的危機であり、兵革は戦争、疫病は伝染病や流行病などを指す。「大の三災」は自然災害ともいえるし、「小の三災」は人間の行動異状によってもたらされる災害といえるかもしれない。日蓮大聖人は『立正安国論』の中でこの「三災七難」論を展開し、それらを防止するためには「正法を立てて国を安んじしめる」との意味を込めて「汝、早く信仰の寸心を改めて、速やかに実乗の一善（正法＝法華経）に帰せよ」と、時の執権・北条時頼に諫暁している。

現代社会において「正法を立てる」ということを主張すると、間違いなく時代錯誤だといわれかねない。次に来るのが「非科学的だ、論拠を示せ、そもそも正法とは何か……」という批判である。ここでは議論は続けないが、早急の抜本的対策が打ち出せない以上、歴史的観点からの考察や宇宙ステーションからの考察などを含めて、さまざまな視点からのアイデアを地球規模で募集したらどうだろうか。

2019年9月9日(月)

昨日は台風15号が東日本へ上陸するかもしれないという状況下で、創価大学法学部・KN教授の帰国報告会がブロンコビリー八王子大和田店で行われた。最初ステーキランチを楽しみ、その後にレジュメ・PPTを用いた、半年間にわたるロンドンでのサバティカル生活の様子に聞き入った。KN教授は10年前にもロンドン大学で在外研究を行っており、すっかり英国紳士の仲間入りをしたようであった。説明のことばの端々に英国への愛情が感じられた。間借り先の大家さん夫妻とも温かい交流が生まれ、一緒に行った奥様や三男の楽しい日常生活を彷彿とさせるものがあった。

現在ＥＵ離脱をめぐる議論が沸騰していてどう転ぶかわからないようであるが、大英帝国としての威厳、王室を中心とした民度の高さから、的確なかじ取りがなされるのではないかと予想していた。ロンドンだけでなくスコットランドやウェールズの街々をめぐり、緑豊かな庭園や大学や博物館などを訪れたようである。そこで写したとみられる見事な写真を鑑賞することができた。それはまたわが家でバンクーバーに滞在していた時の楽しい１年間を思い出させてくれるものであった。カナダも大英帝国の一員だったから、イギリスを範として、行政や街づくりを行ってきたのであろう。スタンレーパークやエリザベス庭園などはその典型であると思った。

ストレス病の転地療法も兼ねていたと聞いていたので、４時間にわたる報告を行ったＫＮ教授のタフさに驚きながら、転地療法は成功したと確信した。こちらは話の後半から両脚痛が酷くなり、足をさすりながら何とか耐えていた。幹事が東洋哲学研究所のＹＴ研究員で、参加者は公明党議員秘書のＫ氏、元聖教新聞社記者のＦ氏、創価大学名誉教授のＯＪ先生、元創価大学准教授のＹＢ先生、元富士レビオ主任研究員で李朝園オーナーのＲＢ先生であった。楽しい仲間であり、一緒に近況を語り合えるのは嬉しいかぎりである。

２０１９年９月10日㈫

台風が去り、爽やかな秋到来かと思えば、猛暑日のぶり返しである。メジャーリーグで日本人選手が活躍しているが、なかでもエンゼルスの大谷翔平選手にぞっこんである。現在のところ打率０・２９０、ＨＲ17本、打点61点、12盗塁でまあまあだが、３割、30ＨＲ、１００打点、30盗塁を望む者にとってはイマイチと感じてしまう、本人には気の毒だが。本日はインディアンス戦を午前11時から午後2時までＢＳ放送で観戦し、４タコで敗戦となりがっくり。気晴らしにとザ・モールみずほ（以下瑞穂モール）へ行き、いつもの中国料理店の「茉莉花（ジャスミン）」で「八宝菜定食」をいただいた。裏切られない旨さに舌鼓を打った。夜もと思い、松阪牛のステーキが値下げ品になっていたので３枚買った。

大谷選手をはじめ、バスケットの八村塁選手、ゴルフの渋野日向子選手、柔道の阿部詩選手など、世界的レベルで活躍する若者が次から次に出てきている。２０２０年の東京オリンピックを目指し、さまざまなスポーツ分野で力を入れてきた結果かもしれない。頼もしい限りで、高齢者にとってはそれだけで活力源になっている。自分の青春時代を思い出しながら、若者の活躍に一喜一憂していれば、認知症になるはずがない。

対して、ＫＳ議員の初入閣が内定したようだ。前にもふれたＴＫ某との結婚を官邸に行って官房長官や総理大臣に報告し、官邸前で記者会見した下品な輩である。公私混同甚だしく、そこに批判を加えないマスコミも腹立たしかった。本来、政治家はいかにして国民を幸せにするかを常に考えていて、災害被害者や仮設住宅で暮らす人々の辛さや苦しみを共感できる人であろう。自分の幸福を真っ先に考え、スタンドプレーで奇をてらう人間は政治家といえるだろうか。スポーツ選手のような爽やかさが全く感じられない〝政治屋の卵〟が多いのもこの国の特徴なのかもしれない。彼らの振る舞いに高齢者は苦虫を噛み、ストレスを感じてしまう。そして笑いの消えた生活から認知症予備軍へ誘われてしまうのである。

2019年9月11日㈬

第4次安倍改造内閣が発足した。17人が元も含めて新入閣したようである。大臣の交代にあたって、前任者の成果が語られず、新任者への未知数の期待ばかりが強調される。改造は総理大臣の専権事項とされるが、何が総括されて何が課題としてあげられるのか、極めて不透明である。まさに不完全な説明責任が語られるばかりである。記者たちの質問も、前任者の総括にふれることなく、どうなるかわからない将来への問いばかりである。大臣といえどもマニフェストをもって臨んでもらいたいものである。

台風15号の影響で、千葉県では数十万世帯が停電や給水不能の被害を受けている。すでに2日が経過しているが、完全復旧まであと2〜3日は続くようである（後になってわかったが、この日数では全然足りなかった）。猛暑でクーラーが使えないところから熱中症になって病院へ搬送される人も多い。インフラ設備の脆弱性にもふれてきたが、避難所と指定された場所にはバックアップの発電設備や給水設備を整備させるなど、抜本的対策が必要である。そのときの重要な考え方に〝冗長性（リダンダンシー）〟を加えてもらいたい。普段は働かず無駄のように見えるが、いざとなったら機能するシステムのことである。

バンクーバーで三男がお世話になったウエストウインド小学校の校庭の片隅に大きなコンテナのようなものが積み重ねられていた。聞いてみると、教室になるコンテナだという。年度によって生徒数は異なるので、多い時はそのコンテナを直結させて教室を増やし、少ない時は外して積み重ねておくという具合である。まさに冗長性の典型である。

わたしたちの脳にもこの冗長性がある。前頭連合野や頭頂連合野や側頭連合野などは高次脳機能を発揮すべく用意された領域で、乳幼児期から成人に至るまで外界からのどのような刺激に対しても対応できるように、余分なネットワークがあらかじめつくられている。

刺激が乏しくあまり使われなければ退縮していってしまう。逆に刺激を求めるような積極的な生き方を続ければ、壮年期や老年期になってもなかなか退縮しない。多分脳はむずかしい問題や未経験の問題に出会ったとき、「待ってました！」といわんばかりに連合野の冗長性を総動員させて立ち向かうのだろう。自分の心が「これは無理だ」とあきらめてしまえば、自分の脳にとってこれほど悲劇的なことはない。冗長性の発現は脳の活性化とイコールなので、これまた認知症予防につながることであると確信する。

三男がお世話になったウエストウインド小学校の教室

20人学級で担任（写真中央がタッカー先生）・副担任・コーディネーターがつく。

2019年9月13日㈮

大谷翔平選手が左膝蓋骨の手術を受けることになった。今季の出場は不可能で、リハビリに2～3カ月かかるとのことである。三振の多さやフォームの乱れに異常を感じていたが、凡才になったわけでなく痛みを我慢しながら打席に立っていたのだろう。そう考えると、ここまで打率0・285、HR18本、打点62点、盗塁12は大した成績である。来期は二刀流完全復活で臨むのであるから、ゆっくり治療を受けてもらいたいものである。

若いアスリートの活躍に過剰な期待を抱いてしまいがちである。斯くいうわたしもその一人で、世界に通じるスーパースターの出現に注目し、一喜一憂するばかりである。若者から多大な感動を受けている以上、高齢者は若者にどのような報恩ができるか常に考えていかなければならない。

今度、福沢諭吉に代わって渋沢栄一が1万円札の肖像になるという。埼玉県深谷市の豪農の生まれで、明治時代に銀行をつくり、またさまざまな起業を行い、日本に資本主義制度を根付かせたとされる。詳しいことは知らないので、よく調べてここでもふれることにしよう。莫大な富を築いたようだが、それを社会福祉の充実や若者に対する教育というかたちで還元したとのことである。わたしの父方の先祖は群馬県太田市の豪農であり、太田と深谷は地域的に近いので、ひょっとしたらどこかで接点がないか探してみよう。

2019年9月15日(日)

9月14日から15日と高崎に住む義兄のTK宅にお世話になった。持参した松阪牛をステーキにしてもらい、ビールとワインで優雅なディナーをともにした。TKさんは群馬大学医学部保健学科の教授として長年教育と研究に携わってきた。5年前に退官し名誉教授になってからも、埼玉医大の客員教授として週3日ほど研究指導を行っている。

実はTKさんはわたしの人生を決定づけた大先輩である。群馬大学工学部応用化学科の出身であり、そのまま大学院工学研究科（修士課程）へ進み、修了後に医学研究科（博士課程）へ転進した。当時、工学研究科には博士課程がなかったことから、医学研究科の受験資格「医学部修了者または他学部・修士課程の修了者」の後者を利用したのである。2年後輩のわたしが電子工学科3年のとき進路に悩んでいたところ、群馬大学会（群馬大学に学ぶ創価学会学生部員の集まり）の結成が行われ知り合いとなった。工学部での応用化学研究から医学部での生化学研究へ移るという自身の夢を語りながら、わたしにも電子工学から医学研究科での電気生理学研究へ移行できる可能性があることを教えてくれたのだった。電子工学に向いてないと思い悩んでいたわたしの視界がパッと開けたことを今でも鮮明に覚えている。

ＴＫさんは夢を現実のものとし、医学博士の学位取得後はプエルトリコ大学へ留学した。その後、群馬大学医学部第1生理学教室の講師・助教授を経て、新設された保健学科の教授となったのである。わたしも大先輩の進路を真似したかのように、電子基礎講座の修士課程を修了してから医学研究科第2生理学専攻へ移り、医学博士の学位を取得した。その後、日本医大の助手・講師を経てから創価大学工学部の助教授・教授となってきたわけである。専門分野は異なるが、わたしが歩んできた道はＴＫさんがレールを敷いてきた道である。おまけにわたしの姉と結婚したので、大先輩・大恩人の義兄となった。

人生の中でさまざまな出会いがある。ＴＫさんとの出会いはわが人生におけるターニング・ポイントであったと、もうじき69歳になろうとしている今に思う。そうした機会に恵まれたのも、創価学会の学生部員として受けた池田先生からの「群馬に強盛なる人材の大河よ流れゆけ」という指針を胸に活動を続けていたからだと思う。青春時代におけるさまざまな出会いの中で、師と尊敬できる人との出会い、脳裏に刻まれるような思想・哲学との出会いは極めて重要なものであろう。そうした機会に恵まれたことに感謝するとともに、わたしは本当に運がよかったと思う。

2019年9月16日(月)

昨日は高速で帰宅しようと思っていたが、朝8時台でもあり爽やかな涼しさの中でふと深谷の渋沢栄一記念館に寄ってみようという気になった。昨年買い換えたハリアーはナビがついているので、その指示どおり9時には到着した。

記念館で展示物やコンパクトにまとめられたビデオ放映を拝見しながら、江戸時代から明治時代というわが国の変革・動乱期における正真正銘の大偉人であると認識を新たにした。2年後のNHK・大河ドラマの主人公となることが決まっているので、詳細はそこに譲るとして、ここでは記念館でいただいたパンフレットをもとに概説だけに止めたい。

1840年　武蔵国榛沢郡血洗島村（現深谷市）に生まれる（2月13日）
1858年　『論語』の師である尾高惇忠の妹ちよと結婚
1863年　高崎城乗っ取りを計画するが惇忠の弟の説得で中止、京にのぼる
1864年　一橋家の用人・平岡円四郎のはからいで一橋家に仕官する
1867年　将軍徳川慶喜の弟昭武に従いパリ万博に随行
1869年　フランスより帰国、静岡藩に仕え商法会所を設立

１８６９年　明治政府に仕官、租税正となる
１８７０年　官営富岡製糸場設置主任となる
１８７３年　大蔵省を辞任し、第一国立銀行総監役となる
１８７４年　養育院の事務をつかさどる
１８８２年　妻ちよ死去
１８８３年　伊藤兼子を妻に迎える
１８８５年　東京府の経営廃止条例の決定により、養育院の存続に努力する
１８８７年　深谷市に日本煉瓦製造会社の工場開業
１９００年　男爵を授けられる
１９０１年　日本女子大学校開校、会計監督となる
１９０２年　アメリカ・ヨーロッパ諸国を兼子夫人とともに訪問、国際親善に努める
１９０９年　渡米実業団の団長としてアメリカに渡る
１９１４年　中日実業株式会社の創立を機に中国を視察し、親善に努める
１９１６年　実業界から引退し、社会公共事業に尽力する
１９２０年　子爵を授けられる
１９２１年　ワシントン軍縮会議の視察を兼ねて渡米し、平和外交を促進する

１９２３年　関東大震災が起こり、大震災善後会副会長となる
１９２７年　日本国際児童親善会長として、日米の人形の交換に努める
１９２９年　宮中に参内、御陪食の光栄に浴する
１９３１年　91歳で永眠（11月11日）

以上のような履歴からも、いかに優れた偉人であったかが見てとれる。豪農の子として生まれた栄一であったが、士農工商という身分の壁を乗り越えて10歳のときから藩の役人に諫言するなど、『論語』で学んだことを実践する人であったようだ。父から律義さと思いやり、母からは慈悲の心を学び取ったようで、後の多大な業績の根幹にある「無私の精神」の礎になったものと思われる。

２０１９年９月18日(水)

続きである。

略歴からもわかるように、パリ万博への参加がきっかけとなり、ヨーロッパ社会の仕組みを学び取ったようである。好奇心旺盛だった渋沢は議会・取引所・銀行・会社・病院・

上下水道などを見学し、進んだヨーロッパ文明に驚きつつ人間平等主義にも感銘を受けたようだ。帰国後、大蔵省に出仕し国家財政の確立に取り組んだが、官界の硬直した体制に限界を感じ、4年で辞職し実業界へ転進した。すさまじいのはその後であって、第一国立銀行をはじめ約500社の設立に関与した。さらに600以上の社会福祉事業に関わるとともに、国際親善にも貢献したとのことである。

すでにふれたように、渋沢の生涯を通じての基本理念は『論語』の精神、すなわち「忠恕のこころ（まごころと思いやり）」にあり、単なる利益追求ではなく、「道徳経済合一」による日本経済の発展であった。一方、母から継承した「慈悲のここ

渋沢栄一記念館：埼玉県深谷市（Wikipedia PDより）

ろ」は社会福祉事業に存分に発揮される。「東京市養育院」や「埼玉育児院」、知的障害児施設「滝乃川学園」の設立・運営に関わり、「救護法」の制定にも尽力している。教育分野では東京商法講習所（現一橋大学）、日本女子大学校（現日本女子大学）の創立委員でもあった。医療施設の整備にも情熱を燃やし、東京慈恵医院（現東京慈恵会医科大学附属病院）・恩賜財団済生会・財団法人聖路加国際病院・日本結核予防協会などの設立と運営にも関わった。

こうした業績はとても一人の人間が成せるものではないと思ってしまうほどすごいものがある。しかも「富国強兵」路線をひた走る明治維新後の時代においてである。大久保利通らとの反目があったようであるが、数々の障害があったに違いない。この辺はよく調べてみる必要がある。そうした障害を乗り越えられたのも広大無比な「慈悲のこころ」をもっていたからと推測できる。

大偉人・渋沢栄一は類いまれな人物であったことがわかった。彼の人格形成、語学力の習得、富の集積と社会への還元など、明らかにするべき課題がわたしなりに見つかった。同時代人であった後藤新平や新渡戸稲造、そして渋沢らの平和路線がわが国の発展の中心軸にならなかったことが大いに悔やまれる。将来の世界平和を考えていくうえで、わが国における近代史はさまざまな視点を提供してくれるのではなかろうか。

2019年9月20日㈮

サウジアラビアの油田設備がドローン攻撃を受け、中東がまたぞろキナ臭い。攻撃を発表したイエメンなのか不明だが、後ろ盾にいるイランの関与が疑われている。アメリカによる何らかの制裁強化が報道されており、簡単には収まりそうにない。

このニュースを聞きながらも、明治政府の富国強兵路線と対峙した渋沢栄一の平和路線を考えてしまう。平和を重んじた渋沢や後藤・新渡戸は東日本に生まれ、戦争も推進してきた明治政府は薩長を中心とする西日本出身者で構成されていた。日清・日露・第一次世界大戦を経験し、太平洋戦争の敗北でその流れは潰えたかのように思われたが、吉田・岸・安倍という内閣の底流にはその流れが見え隠れする。簡単には縦分けできないので、よく調べてみる必要がある。

恒久平和は人類にとって永遠に実現できない夢なのであろうか。戦争への衝動は欲望、とくに本能的欲望の発動があるように思われる。物欲や食欲や性欲などであり、これらが過剰になり戦争を引き起こしてきた。渋沢に関して述べた「慈悲のこころ」はこの対極にあり、平和への礎になるものと思う。2001年9月11日のテロ事件のとき、ヨーロッパ科学芸術アカデミーと東洋哲学研究所が主催した宗教間対話シンポジウムに参加するため、わたしはミュンヘンにいた。キリスト教・イスラム教・仏教に関する宗教者が集まり、平和の構築をめぐり議論した。大司教でもあったミュンヘン大・ビーザー教授がキリスト教2000年の歴史を振り返りながら、人類はいまだに憎しみ合い殺し合いを続けているとし、心からの反省が必要とされると涙ながらに訴えた。そして、アソカ王の改心以来戦争を起こしてこなかった仏教こそが宗教間の橋渡し役にふさわしいと多くの識者から評価された。

欲望に関して、わたしは「神経生理学的少欲知足論」という脳科学的視点からの考察を行ってきた。近年の研究成果をもとにそれがさらに深まったと自負しているが、その詳細はまたの機会に譲りたい。

2019年9月22日(日)

大谷翔平選手が手術で今季絶望となったが、今度は田中将大投手が11勝目をあげヤンキースのAリーグ優勝に貢献している。PSやワールドシリーズでも活躍するかもしれない。興味が薄れた日本のプロ野球で、巨人がセ・リーグ優勝を遂げた。5年ぶり37回目とのことである。パ・リーグの方は西武にマジックが点灯している。こちらもPSでどうなるかわからないが、川上選手や稲尾投手が活躍していた巨人―西鉄（現西武）の日本シリーズの再現に期待したい。

父・誠也の弟たちはプロ野球選手であった。群馬県桐生市は「東の西陣」として空襲を受けず、戦前から野球が盛んであった。桐生高校は甲子園出場の名門であり、京都の平安高校と並んで古豪などと呼ばれてきた。父は三男であったが、上の長男は結核で、二男は戦争で死んでいたので、父が家督を継いだそうである。四男は木暮力三といい、桐生高校卒業後ノンプロの桐生市民クラブで野球をしていた時スカウトされ、一時巨人の4番を張ったこともあった。五男は木暮英道といい、同様の経過で一時阪急のピッチャーをしていた。両者ともに酒癖が悪く、契約金や給料を酒につぎ込むから成績が上がらず、解雇されて父のもとへ転がり込むことを繰り返したとのことである。

父は桐生工専（現・群馬大学工学部）の応用化学科を卒業後、亜細亜石油に勤め、北海道や東京でまじめに働いていたようである。祖父は特定郵便局の局長をしていたのであるが、脳溢血で倒れたので父が局長を継いだ。経済的には裕福の部類に入っていたようである。この辺のことはわたしも幼少期だったので記憶に定かでなく、聞いた話で綴っている。ただ鮮烈に記憶に残っていることが、父たちの強烈な兄弟喧嘩である。父も酒は好きで剣道三段の腕であり、弟たちも腕っぷしは強く、何が原因なのかよくわからなかったが、その喧嘩に圧倒されて逃げ回ったことが脳裏にこびりついている。トイレに逃げ込んだり、隣のうどん屋に助けを求めたりしたことである。このとき長女である姉が中に入って必死にやめさせようとしていた勇気ある振る舞いが薄らと記憶に残っている。不思議に母がどこで何をしていたのか記憶にもなく、話にも出てこないのである。

脳科学的にいえば、わたしはこのとき強烈なストレスを受け、ノルアドレナリンが過剰に分泌されたのではなかろうか。その後の人生を考えると、過剰分泌の反動で「仮面うつ病」状態になってしまい、人とのコミュニケーションにおいて恐怖心が先立ち何事にも全力で取り組むことがなかったような気がする。妻・敦子と違い、創価学会入会後も折伏活動に臆していたのもその影響なのではないかと思ったりする。その後、父にとってもわたしにとっても波瀾万丈の人生が展開されるのであるが、今日はここまでとする。

2019年9月23日㈪

昨日記したことに関連するので、父をはじめ一家全員が創価学会に入会したときのことにふれておく。昭和29（1954）年8月3日のことで、栃木市にあった日蓮正宗・信行寺で御受戒を受けた。郵便局へ来ては熱心に創価学会のことを話すHさん（創価教育学会時代からの牧口先生門下）という人の折伏による。わたしは4歳であったので、この辺のことは全く記憶にない。酒癖の悪さや兄弟喧嘩が治るのであればということが入信の動機だったらしい。入会後100日間はそれが守れたらしく、平穏に暮らしながら学会活動に励む日々が続いたとのことである。

ところが東京から来た幹部が、「この信心には御本尊を持ち、信行学の実践をするという金剛宝器戒以外の戒律はない」と指導した。それを契機に、折伏闘争の打ち上げなどで宴席が設けられ、父や仲間の学会員との飲酒が復活したわけである。しかし、それは楽しそうな宴席であり、『東洋広布の歌』が歌われたり、とても活気に満ちたものであったことを幼心におぼえている。

当時の創価学会は組－班－地区－支部という組織構成になっていた。両親は半年もしないうちに組長・組担当員、1年後には班長・班担当員、そして2年後には地区部長・地区担当員となっていった。父は小岩支部・桐生地区の初代地区部長の任命を受けるとき、戸田先生から「桐生は信心が腐っている。大丈夫か」と言われ、「木暮誠也（こぐれせいや）という名前のとおり、〝誠也（まことなり）〟の一念でいきます」と即答したという。父は草津や沼田へ行ったり、深谷へ行ったりと、郵便局長の仕事を忘れるほど学会活動に奔走したのである。その功績が認められたのか、わが家には「立宗七百年記念・壱仟幅ノ内・

昭和三十二年二月十日」と日蓮正宗・第六十四世・日昇猊下が認められた常住御本尊が下付された。そこに「信行寺信徒・木暮誠也」とあり、いかに父が活躍していたかがうかがわれる。ちなみに同時に家族全員には直筆のお守り御本尊が下付された。

これを機にさらなるわが家の繁栄が築かれると思いきや、まさに波瀾万丈の展開がなされるのである。それは郵便局長の辞職からスタートする。学会活動がよほど激しかったのか、その活動費として給料分では足りず、郵便局の公金を使っては返すということを繰り返していたようである。ある時会計監査が行われ、補てんしていたのであるが端数が合わなかった。それによって使い込みが明らかとなり、辞職せざるを得なかったらしい。その後は水産大学を出ていた祖父の伝手で乾物問屋「くじらや」を開業させた。祖母と母が店を任せられ、父は乾物の行商を行いつつ学会活動に励んだようである。前ほど裕福ではなくなったが、生計は成り立っていた。

しかし、そこへ弟たちが転がり込んできて、飲酒も復活していたので、腕にものをいわせる大人の喧嘩も復活するのである。そして事件が起きるのであるが、そのくだりは後日にあらためたい。

２０１９年９月26日(木)

昨日、イギリスのオックスフォード大学でポスドクの研究を行っているＦＹさんからメールが届いた。アメリカ創価大学（ＳＵＡ）で助教が公募されていて、それに応募することにし、推薦書を書いてほしいという内容であった。添付されてあったお世話になっているMolnar教授の推薦書を読むと、オックスフォードでも持ち前の研究熱心さを発揮し、見事な業績をあげているとのことであった。嬉しいかぎりで、すぐＯＫの返信メールを送り、昨晩推薦書を完成させ、本日ウェブサイトを通しＳＵＡへ送った。何とか採用が決まるとよいと御祈念しながら唱題を重ねた。

木暮研究室で博士の学位を取得した人はＴＫ君とＦＹさんの２人である（ともに工学博士）。修士課程までは在籍し、外部の大学で学位を取得した人はＭＹ君（埼玉医大・医学博士）、ＷＲさん（東京医大・医学博士）、ＹＫ君（慈恵医大・医学博士）、ＡＦＹさん（ミュンヘン大・Ph.D）、ＹＴ君（早稲田大・スポーツ科学博士）、ＭＨ君（東京大・医学博士）の６名である。わたしの研究分野が基礎医学系・神経科学系だったので、そこに興味をもった学生がわが研究室を志望してくれたのである。みな熱心で、多大な成果をあげてくれた。

わたしが創価大学へ赴任して以来行ってきた研究は神経生理学分野で、とくに「てんかん発作波の発現メカニズム」に関するものであった。約15年間の研究によって、①脳を構成するニューロンにはいろいろな種類があるが、とくに抑制性インターニューロンの活動が重要なカギを握っている、②てんかん発現の通説は「抑制系の減退による異常興奮の発現」というものであるが、「過剰抑制も異常興奮発現のもとになる」、③後者のケースを引き起こすのにIhチャネル（過分極性電位依存性陽イオン非選択性チャネル）が関係している、④イオンの通り道であるIhチャネルを阻害する薬剤（ZD7288）は発作波発現を抑制する、⑤ZD7288は血液脳関門（BBB）を通過できないが、BBBを通過できる発作波発現を抑制するGuanfacineは新規の抗てんかん薬になりうる、ということを明らかにした。MY君・WRさん・YK君は①から④に深く関わり、TK君は④・⑤に深く関わってくれた。このてんかん発作に関する一連の研究成果が「てんかん治療研究振興財団」からの「研究褒賞」（1997年）に輝いた。

後半からは「てんかん研究」とともに「レーザー研究」も行うようになった。LASERとはLight Amplification by Stimulated Emission of Radiation（放射の誘導放出による光増幅）の短縮語で、波長や位相のそろった光のことであり、1960年7月7日に初めて発振された。高出力レーザーは兵器にもなりうる大変危険なものであるが、ミリワット（mW）レベルの低出力レーザーは人体に照射しても細胞や組織に損傷を与えることなく、むしろ多大な治療効果をもたらす、と報告されてきた。

わたしの研究室では、「神経・筋など生物組織への低出力レーザー照射効果」が研究されるようになり、①皮膚知覚神経の活動電位発生を抑制する、②筋疲労を遅延させる、③てんかん様発作波の発現閾値を上昇させる、④ヒト由来脳腫瘍細胞へも効果があり、青色レーザーは細胞死をもたらし、緑色は細胞増殖を促進させ、赤色は増殖を抑える、⑤ヒト由来皮膚がん細胞や毛乳頭細胞に対しても同様な効果がある、⑥生物への低出力レーザー照射効果はミトコンドリアへの影響の仕方が異なることに基づく、ということがわかった。これらの成果はMH君・YT君・AFYさん・FYさんが明らかにしたものである。こうした業績に対して、２００９年東京で開催された「国際レーザー治療学会」で「The Best Speech Award」が授与された。

創価大学在職30年間、こうした大学院生や学生に恵まれたことを心からありがたく思う。レーザー研究が始まったころであったが、２００３年3月10日、創立者・池田先生による第1回文化講座「人間ゲーテを語る」が行われ、ゲーテの最期のことば「Mehr Licht!（もっと光を！）」が紹介された。この言葉がわが研究室のスローガンになり、退官までの充実した期間をもたらしてくれたのである。その結果、「緑光はミトコンドリアを活性化させる」というところまで到達することができたのである。彼らの情熱・努力・英知のおかげである。本当にわたしは強運の持ち主だったと自負してはばからない。ＦＹさんをはじめ、彼らの顔を浮かべては合掌、唱題する日々をこれからも続けていきたい。

2019年9月27日㈮

本日、ＳＵＡからＦＹさんの推薦書を受け取ったとのメールが届いた。一安心である。グローバルな情報ツールが開発され、大変便利になったのであるが、なかなかついていけないところがある。ともかくＦＹさんからの依頼を完了することができた。採用されることを強く期待したい。

研究のことを思い出すと、国内学会や国際学会で発表したことが蘇ってくる。最初の国際学会デビューは１９７７年７月の、パリで開催された国際生理学会であった。この年の4月に結婚したわたしは新婚旅行を兼ねることを目論んでいた。ところが、敦子は当時小学校教諭で夏休みに入る前だったので許可が下りず、単身でのパリ行きとなった（27年後にパリで国際てんかん学会が行われ、一緒に行く約束は果たせた）。大学院３年生であったわたしは先輩の発表をサポートする役であったが、語学力がなかったのでほとんど役に立たず、苦い思い出となった。そのプレッシャーのせいか、発表時の記憶がほとんど残っていない。さらにエッフェル塔へ登ったり、セーヌ川を遊覧したり、オペラ座にも行ったのであるが、それらの記憶も消えてしまったようであった。27年後、妻・敦子と長女・照美と一緒に再訪したとき、見事なまでに蘇った。

ありがたいことに恩師である高木貞敬先生が群馬県医師会に頼み込み、旅費宿泊費の一部として10万円を援助してくれた。その前年に福岡で「味と匂いの国際シンポジウム」が開催され、パリ大学から参加した盲目の生理学者ル・マニォン先生を先輩と一緒に帰路羽田空港までエスコートした。そのことを覚えてくれていたのか、国際生理学会に参加する若手研究者への旅費支援として先輩を選んでくれ、大らかな先輩がわたしに半額の15万円を分配してくれた。パリへの学会参加には約50万円要したが、おかげで自己負担は半分で済んだ。今考えると、若い研究者を育てようとするオーソリティーの熱意が感じられる、わたしにとってかけがえのないエピソードである。

その後、日本医大時代は国内学会での発表はあったが、国際学会への参加はなかった。それが創価大学へ赴任してからは、アメリカてんかん学会・ヨーロッパてんかん学会・国際てんかん学会・国際レーザー医学学会など外国での発表が多くなった。わたしにとっても学生や大学院生にとってもそうした経験は刺激的であり、視野を広げる貴重な機会ともなった。その点については後日ふれることになると思う。

2019年9月29日(日)

世界陸上がドーハで開幕。スタジアムなど施設の充実ぶりにオイル・マネーで潤ってきたことが連想される。100mで桐生・小池・サニブラウン選手の9秒台トリオが準決勝までいったが、決勝進出はならなかった。棒高跳びも3人が予選敗退であった。一方、50km競歩では鈴木選手が金メダルである！　女子マラソンは谷本選手が7位入賞と頑張った。40度にもなるという中東での戦い、勝っても負けても全力を尽くす若者の姿にこちらが本当に勇気づけられる。

国内ではラグビーW杯が始まった。日本は開幕戦でロシアに勝利し、次いで昨晩、世界ランク2位のアイルランドにも勝利した！　前回大会で南アフリカに勝利して歴史的な奇跡といわれたが、有能なヘッドコーチの参入や猛練習、戦法の創出など、当然の結果だと自信に満ちた発言をする選手もいる。どれだけの苦闘を重ねてきたのか、大したものだ。メンバーにはハーフやクォーターの人が多く見受けられるが、両親の国際結婚のご褒美のように思えて仕方がない。スポーツの交流は、民族間の憎悪を超克する大事な手段の一つであろう。日本は予選リーグを突破して、8カ国で争われる決勝トーナメントに進む可能性が非常に高くなってきた。前代未聞のことである。

2019年9月30日(月)

9月も終わりで、退官後ちょうど半年が経過したことになる。ありがたいことに、8月からは時間をほとんど意識することなく、「時間主義的幸福観」からすれば「最高の幸福者」である。しかし、その時間を有効利用して他者に尽くしているかといえば、もっぱらこの日記を記すことなど自分のために使っているので、「最高の幸福者」とはいえないだろう。

仏法には「十界論」という境界論が展開されている。学生時代にこの「十界論」をはじめ、「十界互具論」「十如是論」「三世間論」「一念三千論」など、われわれの生命のあり方について学んだ。あまり深く考えたことはなかったが、〝幸福〟という観点から再考してみる必要があるのではないかと思う。

ここでは「十界論」についてだけ考えていることを披歴しておこう。十界論によれば、わたしたちの生命境界は「地獄」「餓鬼」「畜生」「修羅」「人」「天」「声聞」「縁覚」「菩薩」「仏」という十の境界から構成されている。前六つを「六道」、後四つを「四聖」と大きく分けられている。「六道輪廻」といわれるように、苦しみ悩み狂う地獄界、欲に覆われた餓鬼界、欲望のおもむくまま行動してしまう畜生界、他と比較して自分が優れていると怒りをあらわにする修羅界、平らかな心を維持している人界、欲望が満たされて有頂天になる天界、こうした生命境界が繰り返されるのが一般的なわたしたちの人生である。しかし、ときどきその六道から脱して、先人の残した業績を学び、取り入れようとする声聞界や、一芸に専心することにより自分なりの独創性を発揮する縁覚界という「二乗」の境界に達することもある。さらにそこから大きく転回して、自分ではなく他者を何とか救おうとする菩薩界、その菩薩界の強力な生命力を支え続ける仏界という最極の境界も内在するといわれる。後四つはわたしたちの生命の振る舞いとして尊極なるものなので四聖といわれるわけである。しかし、一分の知識や芸術表現で「われ賢し」と思ってしまう二乗の生命の傾向性は「二乗不作仏」ということばで戒められている。

六道の生命境界の底流には「金本主義的幸福観」があるのではなかろうか。経済優先の考え方で、何よりも欲望を満たして幸福になるためにはお金を手に入れるしかないと、日夜朝暮に努力するわけである。それにもかかわらず、ほとんど満たされることもなく、地獄の苦しみを味わったり、本能的欲望丸出しで失敗したり、「勝他の念」でコンプレックスを感じたりしている。努力が実り安定を得たり、喜びを感じたりするが、「三悪道（地獄・餓鬼・畜生界）」・「四悪趣（修羅界を加える）」へすぐさま転落し、流転を重ねてしまう。だからといって「霞を食べて」生きてはいけない。一体、どうすればよいのであろうか。

この種の難問に出くわしたときは、しばし立ち止まることが賢明である。「ストレスの心理学的克服法」にあるように、「Stop—Look—Aware—Choose—Grow」を実践して自分なりの答えを出せばよいのだと思う。一旦立ち止まり、自分の内外を見つめ、気づきが行われるまで待つ。気づけば正しい選択をすることができ、乗り越えて成長していけるのだという。しかし、忙しいわが国にあって、立ち止まることがなかなかできない。すなわち、わたしたち日本人は「金本主義的幸福観」に踊らされていて、そうしたストレスフルなライフスタイルを貫かなければいけないと思い続けているのである。

カナダにいたとき、友人になったリチャードさんが「失業しているので、ブリティッシュ・コロンビア大に何かいい職はないか」と尋ねられたことがあった。日本で失業中などというときは決まって深刻な顔をしている。ところがリチャードはそれを笑いながらいうのである。聞けば、自宅の地下貯蔵庫には半年分のジャガイモやカボチャなどが保存されているという。親戚には牧場主がいて牛乳はタダ同然でもらえるという。カナダでは多くの家庭における、家庭経済に占める給与所得の割合は50パーセント前後といわれる。したがって半年働けばよいという計算になる。ここに笑顔で「失業中だ」と言える所以があると思った。このエピソードを思い出すたびに、カナダでは「金本主義的幸福観」だけに基づいた人生を送っているわけではないと思う。

そこには意識するしないにかかわらず「時間主義的幸福観」も垣間見られるのである。お金がなくても笑顔を絶やさず、ゆったりとした人生を送れる自信があることを感じさせる。そうした時間を家族や友人とともにする。こうした「時間主義的幸福観」に基づいたライフスタイルは「四聖」の生命の発動に似てはいまいか。図書館で読書に没頭したり、音

ブリティッシュ・コロンビア大学：シンボルの時計塔

楽や絵画に夢中になったり、友人・知人と談笑する、まさに自由な時間があってこそできることである。願わくば、「六道」の生命境界に埋没するのではなく、「四聖」の生命境界を発揮できる余裕をもちたいものである。その転回を起こすカギに関する考察は、すでに予告した「神経生理学的少欲知足論」を述べるときにしたい。

2019年10月3日(木)

10月に入り、消費税が8パーセントから10パーセントに変わった。その変わり方が複雑で、たとえば食品などは据え置き、イートインだと10パーセント、持ち帰りは8パーセントという具合である。来年の5月まではポイント還元とやらで、特定のカード決済の場合だけ5〜10パーセント戻ってくるらしい。チェーンのコンビニやスーパーは2通りの計算ができるレジを導入できるというが、小売店などではしばらく従来どおりやるしかないので還元分は持ち出しだと不満タラタラである。政治家や官僚たちは「増税ありき」で、今回も「身を切る改革」はなされなかった。いわば自分たちの失政で1000兆円を超える財政赤字をつくりながら、それを増税というかたちで国民に押し付けてくる。何をかいわんやである。

その増税分は教育・医療・介護などの赤字解消へ回されるという。抜本的な施策を講じず、付け焼き刃的に対応していても無駄に終わってしまうのではないか。たとえば教育費の無償化が注目を浴びている。中等教育に対しては以前から叫ばれてきたが、大学の授業料も無償化の対象になるという。しかし、大学全体ではなく基準に合う指定校のみであり、その指定校でも全学生がその恩恵を受けるのではなく、選抜された学生のみということだそうである。大学経営の観点から国からの補助はありがたいことかもしれないが、その選抜基準作りなど手間が増すばかりである。学生間では競争心が激しくなり、成績に関する執着がいや増すであろう。それが激化するようであれば、教育の本来の目的である「皆を幸福にさせる」（牧口常三郎・創価教育学会会長）というところから甚だしく逸脱してしまうだろう。

わたしの学生時代、国立大学の学費は年間1万2000円だった。月額1000円である。日本育英会の奨学金が自宅通学者は月額6000円、自宅外通学者は8000円であった。わたしは月1万2000円の2食付の下宿生活だったので、奨学金に家庭教師のバイト代5000円を加えてトントンで生き延びることができた。1～2万円親に世話になったが、それはランチ代やバイクのガソリン代になった。妻は1年後輩であり、その年から授業料は3倍になった。それから順次値上げが行われ、国立も私立もあまり変わらないところまでに到達した。

これを先導したのが中曽根内閣だったように記憶している。「ロンーヤス」で有名な長期政権は私学の精神を骨抜きにする「私学助成」を始めるだけでなく、「民活」の旗のもとに国鉄のJR化、電電公社のNTT化、日本たばこのJT化、原発事業の推進と拡大化などなど、当時の右肩上がりの経済状況を背景として公営企業の赤字解消を目指す民営化を展開し始めた。この辺は詳しい検証が必要なのであるが、新進気鋭の経済学者にその役目を譲りたい。ただ、年度末の決算報告で赤字解消が強調されていたにもかかわらず、いまや1000兆円を超える負債のスタートが切られたのと軌を一にしていることだけは指摘しておきたい。「電源三法」（電源開発促進税法・電源開発促進対策特別会計法・発電用施設周辺地域整備法）ができ、原発が急増されていくのもこの頃からである。

2019年10月4日㊎

続きである。

そもそも国や公的機関がするべきことは何であろうか。愚問かもしれないが、省庁が管轄している分野を考えればよい。文科省が管轄している教育・文化など、厚労省が管轄している医療・福祉など、農水省が管轄している農業・林業・畜産・水産など、国交省が管轄している国土管理・鉄道・航空・高速道などをあげることができる。そうした分野は税金で運営されるので、分配された予算内で基本的には運営されなければならない。したがって、そうした事業分野で赤字が発生したならば、それを埋めるしかない。予備費がなければ身を切るしかないということになるだろう。

しかし、身を切るどころか、赤字を膨らませ続けてきたのである。公僕といわれながら、政治家・官僚など公務員の平均給与は税金を納めている国民の平均給与より高い。退職後も自分たちの天下り先を用意しておいて、そこを渡り歩くことにより繰り返し高額の退職金を手に入れる。ここには渋沢栄一の〝無私〟の精神はなく、もっぱら〝我欲〟を貫く六道の境界が見え隠れしている。こうした構造は今に始まったことではなく、わが国の近代社会の歴史の中で醸成されてきたものであろう。一旦できた構造は複雑化することはあっても、決して是正されるものではない。金本主義的幸福観では「六道輪廻」を脱することはなく、我欲で積み上げた財産を次なる生へ持っていくことができない以上、「四聖」の境界へ突入するためには時間主義的幸福観に基づいて我欲を捨て去るしかない。せめて晩年ぐらい、築いた富があるならば、次代を担う若者へ還元して清算してほしいものである。

ともかく今回の消費増税によって教育や社会福祉分野がどのように変化していくか、厳しい監視を怠ってはならない。国民の生活が幸福の方向へ向かうのか、ますます格差が開いて大多数が不幸の方向へ向かうのか、ターニング・ポイントになることは間違いないと思われる。

2019年10月6日(日)

ようやく秋らしい涼しい日となっている。ところが世界陸上が行われているドーハは40度の世界である。暑さを避けるように深夜に行われているとのことであるが、50㎞競歩で鈴木選手が金メダル、20㎞競歩で山西選手が金メダルと吉報が届いた。続いて100m×4リレーで多田・白石・桐生・サニブラウン選手が日本新・アジア新で銅メダルである。前にもふれたように予選落ちが多かったので今回はメダルへの期待がしぼんでいたが、大した活躍ぶりである。若者たちのすがすがしい姿にこちらが勇気をもらっている。

ストレスからの解放と感動体験のおかげか体調の方は安定している。両脚の違和感や、ときどき脚が攣れることはいまだに続いているので油断はできない。父が愛用していた「田七人参」と「エビオス」を常用して、整腸剤として「大正胃腸薬」や「正露丸」も服用している。週2~3回ビールやウイスキーを飲んでいるが、ご機嫌の時の父のように思い出の歌を熱唱するので娘からは小言をいわれている。その記憶がないくらいだから、よい入眠剤にもなっているらしい。この歳になって、アリスの『遠くで汽笛を聞きながら』、チューリップの『青春の影』、かぐや姫の『僕の胸でお休み』、長渕剛の『乾杯』『とんぼ』、さとう宗幸の『青葉城恋歌』などの歌詞が胸にしみてくる。それらをわたしが青春時代に作詞・作曲していたのだから、彼らの精神性の深さに敬意を表したくなる。

2019年10月8日㈫

10月4〜6日と創大祭であった。退官したので、お知らせがきたが参加しなかった。例年のごとく記念フェスティバルや記念講演が行われ、その様子が『聖教新聞』で伝えられる。創立者・池田先生が参加されなくなって久しいが、参加当時のスピーチや学生とのユーモアあふれるやり取りが思い出される。ときどき聖教紙上で奥様と一緒の写真が拝見でき、ずいぶんと健康を取り戻しているのではないかと想像している。

大学祭というと、わが群馬大学の大学祭が思い出される。わたしの入学は、東京大学に機動隊が入り入試がなかった1968年である。「60年安保」継続を機に激しくなった学生運動が「70年安保」を目指して、さらに激化していた時であった。群馬大学でも中核派を中心とする学生たちが大学を占拠して、入学式さえ行われない状況であった。6月まで自宅待機、7月上旬にオリエンテーションが前橋のどこかの寺院で行われ、前期授業分のレポート課題が示され、9月より後期が始まると知らされた。スタートがこうだったので、学問より社会問題を考えるようになり、創価学会学生部の活動にのめりこんでいった。

後に創価学会学生部に新学生同盟なる組織ができ、全共闘と共産党系民青の間に第3の学生運動として位置づけられた。公明党の中道主義と同様な理念を掲げていたように記憶している。結成式が東京渋谷の代々木公園で行われ、約7万人が結集したと報道された。父もヘルメットをかぶりタオルを巻いて高崎線に乗り参加したので、学生だけではなかったことは確かである。その勢いはすごかったが、新学同の闘いはそれが最初で最後であった。新学同の委員長や書記長と創価大学の教員として再会することができ、それぞれの専門分野を背景として理論武装を構築しようとしていたことを聞いた。創価学会は単に宗教教団として弘教活動を行うだけでなく、すでにふれた生命倫理研究会やこの新学同のように、そのときの社会情勢に対応できる組織も兼ね備えていた。このような柔軟性や社会性は歴代会長により範を示されてきたものであり、日蓮正宗側からすれば相容れないものであったのだろう。すなわち、宗門からの離脱ということは創価学会という宗教法人ができたときから内包していたのではないかと思われる。

さて群馬大学の大学祭である。毎年11月23日前後だったので、上州の空っ風が吹き始めるころである。わたしが1年のときはまだ前橋市内に日吉校舎があり、そこで開催された。大学紛争は収束時期を迎えて学生もキャンパスに戻ってきたのであるが、閑散とした大学祭であったことが記憶に残っている。わたしたち群馬大学の学生部は「第三文明研究会」なる同好会をつくって大学祭に参画した。メインの企画として「大映写会」を500人は入れる講堂で開催し、創価学会の文化祭や海外交流や座談会の記録映画を上映した。瞬間の鑑賞者数は10人程度で、2日間の延べ人数も50人ほどであった。その後10年間、大学祭のたびに差し入れをもって参加したが、わたしたちの企画に参加する人は相変わらずの規模であった。しかし、主催する学生部一人ひとりは熱く燃えながら日蓮仏法を語っていたことを覚えている。圧倒的規模で行われる創大祭に参加するたびに空っ風が吹きすさぶ群馬大学祭が思い出され、当時の同志への感謝の念が湧き上がる。それこそ「わが青春に悔いなし」である。

2019年10月9日(水)

群馬大学祭について記したので、群馬大学の恩師についてふれておきたい。工学部4

年次から修士課程修了までの3年間、電子工学基礎講座の畔上道雄先生（1914－1983）にお世話になった。千葉県生まれで、新宿高校から早稲田大学理工学部そして大学院で電磁気学・電子工学を研究されてきたとのことであった。学位取得後は東海大学工学部の助手として研究を続けながら、戦後のマッカーサー司令部による大学教員統一試験を受け、30歳代前半で教授となり群馬大学工学部へ赴任した。

後から認識するのであるが、畔上先生の父上は畔上賢造といって内村鑑三の一番弟子だったとのことである。無教会主義のクリスチャンとして教団運営を支えていたようである。畔上研のI先輩から聞いた話では、畔上先生の思想遍歴は右に左に揺れ動くものであったらしい。最初クリスチャンであったが、姉・愛子さんの悲しすぎる死（肺炎を患ったが「神の子であるから必ず救済される」との父親の信念で病院に行かず逝去）を契機に思想的には放浪するわけである。さまざまな思想・哲学・宗教に関する書籍を読破したようである。その結果到達したところがマルクス主義であり、社会主義活動にも参加した。学生運動の一環として群馬大学がロックアウトされていた時でさえ、畔上先生だけは学生からの信頼も厚く自由に出入りできた。ところが、自分の愛娘である愛子さん（姉と同じ名前を付けた）は東京で一人住まいをしながら青山学院大へ通っていたが、大学2年生の時に自殺をしてしまった。その報告を受けた畔上先生ご夫妻は一夜にして白髪に変じていたという。先輩は「人間はものすごい悲しみを受けるとこれほどまでに変わるのか」と思ったという。「どんなにすごい思想に出会ったとしても、娘の気持ちをこれっぽっちも理解できないでいた」と心の底から後悔していたとのことである。以後、畔上研の学生に対しても一人ひとりの思想や信条を大らかに聞くようになったらしい。

わたしが畔上研に入ったのはこうした時期であった。ゼミではマルクスの「唯物論」やエンゲルスの「空想的科学論」を学んだが、わたしが創価学会・学生部員であることを知ると、マルクス主義対日蓮仏法の議論になることがしばしばであった。全く太刀打ちできず、そのおかげで創価学会の『折伏経典』や池田先生の『指導集』を読みふけった。

研究の方も以前は電子工学一辺倒であったらしいが、わたしが属したときは比較的自由にテーマを選択できた。I先輩にお世話になりつつ、当時としては先端の「神経回路のシミュレーション」に取り組んだ。卒業研究では電子回路で、修士課程ではコンピュータでシミュレーションを行い、論文にまとめた。修論のタイトルは「カイアニエロ方程式のコンピュータ・シミュレーション」であった。イタリアの電子工学の専門家であったカイアニエロが著した「神経方程式」と「記憶方程式」をもとにコンピュータ内に神経回路をつくり、その入出力応答を求めるというものであった。それらの方程式は神経生理学の分野で解明されてきたニューロンやニューラル・サーキットの実験的事実をもとにつくられたものである。当時のコンピュータは記憶容量も少なく、計算速度も遅かったので、夜遅くプログラムを読み込ませ明け方に計算結果を得るというものであった。30×30の900個のニューロンから構成される神経回路を想定し、「近い結合と遠い結合を半々の割合にした場合、入力回数に応じて早く学習効果が現れる」という結論に至った。

修論発表会のとき、ある教授から「たまたま結論が出たが、いったい何がわかったのか？　その研究にどういう意義があるのか？」という返答に窮する質問が出た。わたしは何とか答えをしぼりだそうとしばらくの間思案していた。そのとき畔上先生がすっくと立ち上がり、「それこそ愚問で、わからないからこそチャレンジするのが研究であって、一つの先駆的な結果を示したのだ。既定のレールに乗った研究からは創造的な結果は出てこない」ということを骨子に、30分間見事な反論をしてくれた。ゼミのときは厳しい先生であったが、このときほど弟子を思う心情の深さを感じたことはない。

2019年10月10日㈭

畔上研での研究生活でもう一つ大事なエピソードがある。修士課程での出来事である。大学院だから比較的時間があるのではないかということで、修士1年のとき創価学会・群馬県学生部長の任命を受けた。最初は研究と学生部活動を両立すべく、昼間は大学へ夜間は活動と勇んで行動していた。当時群馬県には約150名の学生部員がいて、高崎経済大学、群馬大学（前橋と桐生）、関東学園大学（太田・館林）、上武大学（本庄）、前橋工業短大でそれぞれ学んでいた。県学生部長であったので、前橋での県学生部員会や教学勉強会、各地域での部員会に参加して活動を展開していた。ウィークデーにも行われていたので、時に深夜にも及び、翌日大学へ行けず授業は欠席、研究は進展せずという状況が続いたりもした。前期は何とか頑張っていたが、後期になると各地域の大学祭にも参加して折伏活動をサポートするなど、次第に大学へ向かう日が少なくなった。2年になる前の1〜3月はほとんど研究室に顔を出すことがなくなり、畔上先生の顔を浮かべては恐怖心におののき、反対に活動の楽しさに逃げ場を求めるような有り様であった。

4月になり、心配してくれた技術員の方から「いま会いに来ないと退学ということにもなりかねませんよ、ともかく畔上先生に会いに来てください」という電話をいただいた。「明日にするか」という「雪山の寒苦鳥」の弱い心が出てきたが、この機を逃したら退学になるしかないという事実が目に見えてきた。とにかく「自分の弱さを乗り越え、何が起こっても畔上先生に今までの行動を謝罪するしかない」と決めて、「湿れる木より火を出し乾ける土より水を儲けんが如く」（日蓮大聖人御書『呵責謗法滅罪抄』）という一節を繰り返しながら、畔上先生の研究室の扉を開けた。
「破門だ！　お前は何をしているんだ！　研究をするのか、創価学会をとるのか、どっちにするんだ！」と烈火の如き叱声を浴びた。わたしはただただ自分の愚かな行動を謝り、どっちかを取ることはできないと即断し、「明日から先生が来研するより早く来て、先生が帰宅した後まで研究をします」と誓いのことばを述べた。畔上先生のそのときの目は「明日からのお前の行動を厳しく見届けるぞ」という鋭い眼差しであった。

翌日からは朝8時に研究室へ行き、単位取得のための授業参加、研究に関するプログラムの作製や改良、夕方5時過ぎに夕食のため下宿へ戻り、座談会などの活動に参加した後9時に研究室に戻り、コンピュータ・シミュレーションを行う、というスケジュールを実践するようにした。まさに修士の2年次で修士課程2年分の仕事をしたわけである。県学生部長の方も退任した。活動には参加できなくなったが、状況を常に連絡してくれたのが親友のKT氏（現・創価学会副会長）であった。

その後も畔上先生の指導には厳しいものがあったが、わたしの結婚式でこのエピソードを笑いながら話してくれたので、厳しくも温かく見守ってくれていたことがわかった。本当に不肖の弟子であった。にもかかわらず、修士課程修了後に群馬大学大学院・医学研究科・第2生理学専攻の高木貞敬教授を紹介してくださり、博士課程への推薦をしてくれ、研究者の道を開いてくれたのであった。

2019年10月12日(土)

台風19号が接近し、夕方神奈川県に上陸した。強い勢力を保ったままなので、大雨や強風による災害の発生が危惧されていた。千葉県を席巻し広域停電など甚大な被害をもたらした台風15号の事例があったので、適切な対応や早めの避難などが通知され、被害はそれほどでもなかったようである。わが家も何とか強い風雨に耐えた。

一昨日ノーベル化学賞が発表され、旭化成・名誉フェローの吉野彰氏が受賞した。「リチウムイオン電池の開発」に関する業績で、数年前から受賞が予測されていたらしい。京都大学大学院の修士課程修了者で、「社会に役立つ研究がしたい」との思いで旭化成に入社したとのことであった。ご夫婦で記者会見に臨んでいたが、屈託のない笑顔が渋沢栄一流の「無私の精神」を物語っていた。台風による広域停電が騒がれている最中だったので、リチウム電池の大型化による蓄電器の普及が進めば、有力な災害対策になるだけでなく環境問題の解決にもつながると期待されていた。

71歳での受賞なので、わたしにも2年後にノーベル生理学・医学賞の順番が回ってこないかなどと言ったら、娘に鼻で笑われてしまった。『ミトコンドリアはミドリがお好き！――究極のヒューマン・パワー・プラント』の英語版でわたしたちの研究成果と思想性が広く知れ渡れば満更ではない、と秘かに思っているのだが。〝秘かに〟ではなく強い決意をもたなければ実現するわけはない、と自戒もしている。

2019年10月13日㈰

一夜明けたら、相次ぐ河川の氾濫の実況放送である。長野市の千曲川、世田谷付近の多摩川、佐野市の秋山川など。大型で強い19号は移動スピードが遅く、風水害の爪痕を残した。死傷者数はまだ把握できていないようだが、河川の氾濫による住宅への浸水被害が甚大である。その状況がヘリコプターからのライブ映像で報道されており、氾濫域の住宅の1階部分へ濁流が押し寄せている。２階でタオルを振りながら助けを求める人たちの姿にこちらの胸も締めつけられる思いである。昨晩、各地で緊急大雨特別警報が発令されていた時、避難を余儀なくされている住民が「ただただ祈るしかない」と言っていたが、自然の猛威に対してそうするしかないのだろう。強風に揺れるわが家にあって、わたしは共感・同苦の題目を送るしかできなかった。

今朝の『聖教新聞』を見ると、台風15号のときと同様に今回もいち早く学会本部に対策本部が立てられ、被害状況の把握と支援策の検討が始まったとあった。各自治体はともかく、こうした緊急時での政府の対策の遅れが目立つ。首相をはじめ各党首など有力政治家が全力支援の打ち出しを行うなど、国民と同苦する姿勢を見せてもらいたいものである。宮澤賢治の「雨ニモマケズ」の精神である。ここにその詩の全文を転載させていただく。

雨ニモマケズ
風ニモマケズ
雪ニモ夏ノ暑サニモマケヌ
丈夫ナカラダヲモチ
慾ハナク
決シテ瞋ラズ
イツモシヅカニワラッテヰル
一日ニ玄米四合ト
味噌ト少シノ野菜ヲタベ
アラユルコトヲ

ジブンヲカンジョウニ入レズニ
ヨクミキキシワカリ
ソシテワスレズ
野原ノ松ノ林ノ蔭ノ
小サナ萱ブキノ小屋ニヰテ
東ニ病気ノコドモアレバ
行ッテ看病シテヤリ
西ニツカレタ母アレバ
行ッテソノ稲ノ束ヲ負ヒ
南ニ死ニサウナ人アレバ
行ッテコハガラナクテモイヽトイヒ
北ニケンクヮヤソショウガアレバ
ツマラナイカラヤメロトイヒ
ヒドリノトキハナミダヲナガシ
サムサノナツハオロオロアルキ
ミンナニデクノボートヨバレ

ホメラレモセズ
クニモサレズ
サウイフモノニ
ワタシハナリタイ

南無無辺行菩薩
南無上行菩薩
南無多宝如来
南無妙法蓮華経
南無釈迦牟尼仏
南無浄行菩薩
南無安立行菩薩

この詩の最後に南無妙法蓮華経の題目を挟んで二仏と四菩薩が記されているが、宮澤賢治も御本尊をたもち題目を唱えていたことがうかがわれる。彼の詩作や著作の根源に日蓮大聖人の妙法があったのだと思われる。

２０１９年10月14日(月)

台風19号の被害の実態がさらに詳しく報道されている。氾濫河川は20以上に及び、死者は30名以上、行方不明者も20名以上に及んでいるという。浸水領域が元に戻るまでおよそ1カ月かかるところもある。それまでの避難生活への支援、またインフラ整備などままならないことがうかがわれる。農業・林業をはじめとする第1次産業を軽視して国土の保全に重点を置いてこなかった政府の責任を指摘する識者もいる。

自然を擬人化するのはよくないが、わたしは「われわれ人間も自然の一員であることを忘れ、あまりにも傍若無人に振る舞ってきたのではないか」と思っている。ラットを狭いケージで飼育すると共食いを始めるといわれるように、自然という偉大なる環境を忘れ、人間同士の競争に夢中になってしまう金本主義者のなれの果てのように思えて仕方がない。無視され続けてきた自然が怒りをあらわにするのも無理はない。

仏法には人間を「じんかん」と読む「人間遊行（じんかんゆぎょう）」ということばがある。人と人の間を行き来しながら修行する、己を磨くという意味らしい。人と人の間の自然を意識しながら、時にボーッとするような時間的余裕をもつことを勧めているのだと思う。まさに時間主義的幸福観を実践する姿を示しているのではないか。人間を含めて自然はすべて生きものであり、その生きる姿は感動的であり尊いものである。われわれ人間が自然の中で感動するとき、また尊厳なる瞬間を実感するとき、自然もいや増して感動して尊厳なる姿を表出するのではないかと夢想する。そこは「吹く風枝をならさず雨壌を砕かず」（日蓮大聖人御書『如説修行抄』）という世界ではないだろうか。

２０１９年10月15日(火)

台風19号の被害がさらに拡大している。死者の数も60名を超えている。朝の情報番組で実態の詳細と今後の対策が盛んに議論されている。そうした議論を聴きながら、わたしは今こそ単なる対症療法的な対策でなく、抜本的な対策が必要であると思っている。少なくとも都市計画のあり方を見直し、住環境や高層ビル群などインフラ設備を含めて災害に強い街づくりを推進しなければならない。

欧米の都市は計画的かつ余裕をもってつくられてきたのに対し、わが国では為政者が住む場所、近世では城が中心であったが、そうした場所は設計してつくられてきたが、それを取り巻く街の部分はつくるというより、できてきてしまったようである。関東大震災の後に、後藤新平を中心として東京の再建計画が立ちあがったが、皇居周辺の広い通りの部分だけで予算的に頓挫してしまった。このときも薩長系の内務官僚や財務官僚との軋轢があったらしい。太平洋戦争後では、焼け野原からの復興ということで、ある意味「美しい東京」の再建につながるチャンスであったかもしれない。しかし、壮大なビジョンをもって考える人も少なく、不動産系財閥の意のままに開発されてしまったに違いない。地方の都市も東京に倣えである。空撮映像を見ると、「よくもまあこれほどまでに密集した街ができあがったもんだ」と呆れてしまう。すでに述べたように、欧米の都市に見られる「人工と自然の調和」による美しさ――それは緑の多さによってもたらされている――とは対照的である。

わたしは「街をつくる」と「街ができる」の違いであって「しようがない」と半ばあきらめ

パリ：エッフェル塔から北西部を望む

てきたが、自然災害が繰り返される現代にあって声を大にして言いたい。すなわち、住宅と住宅、ビルとビルの間に十分な空間をつくるべきだと思う。今回のような堤防決壊によって濁流が住宅地へ押し寄せてきても、十分な空間があれば住宅間またはビル間を流れる水量は高さまたは深さ方向に少なくなり、地下部分や1階部分への浸水はわずかとなり、決して防水できない量ではなくなるだろう。強固な高い堤防を築くというよりは抜本的な対策だとわたしは思う。この視点を加えた新たな都市計画法を制定し、これからの不動産開発に適用してもらいたいと切に念願する。

2019年10月18日㈮

寒くなり、一気に秋を通り越し冬になるような勢いである。台風15号・19号の被災地では復旧がかなり遅れそうで、不安が広がっている。政府が予備費から被災地支援のために7億円を拠出するという。桁が違うのではないかと疑ってしまった。仮に1万世帯を対象とすると、1世帯当たり7万円ということになる。全壊や半壊などの家屋の倒壊に対しては、最高300万円が激甚災害指定に基づいて支払われると報道された。それとは別の支援だと思うが、それにしても低額すぎる。被害者が家屋などの保険に入っていればよいのだが。

復旧までに空いている公営住宅や仮設住宅に住むことになろう。これまた毎年のように起こっている問題であるが、一向に改善される雰囲気がない。安倍総理の号令のもと、各避難所にダンボールベッドやパーティションが搬入されている。以前報道されていた韓国や台湾の避難所並みにプライバシーがある程度守られるような場所にしてもらいたいものである。冗長性（リダンダンシー）についてはすでに述べたが、こう災害が繰り返されるようであれば、避難所や仮設住宅にも冗長性の視点で準備する必要があると思われる。

２０１９年10月19日㈯

群馬大学工学部——工学研究科の恩師の畔上道雄先生について記したが、その続きでもう一人の恩師についてふれておきたい。

群馬大学大学院医学研究科・第２生理学教室では４年間高木貞敬教授（１９１９－１９９７）にお世話になった。京都出身であり、東京帝国大学医学部修了後、東大脳研の時実利彦初代所長（１９０９－１９７３）のもと「後索後根標品に見られる遅電位」の研究で医学博士の学位を取得した。その後ミシガン大学へ留学し、帰国後群馬大学の講師、そして教授になられた。ミシガン大学医学部では最新鋭の機器を用いて神経生理学研究を行っていたので、帰国後の研究機器のことが不安であったという。帰路、イギリスのオックスフォード大学を訪れ、歴史と伝統を誇るシェリントン教授の研究室を見学し、古びた機器で夢中になっている研究者たちの姿を見て「これなら自分でもできる」と自信を深めたと教えてくれた。わたしがいたときは最新の機器も多かったが、米軍から払い下げられた古いオシロスコープなども立派に動いていた。

高木先生は敬虔なクリスチャンで、わたしが創価学会員であることを聴いていたと思うが、信仰をめぐる論争は全くなかった。わたしたちの仏前結婚式の仲人を快く引き受けてくれるような温厚な先生であった。

１９７０年代からわが国でも神経生理学的研究が目立つようになっていた。例えば、東京医科歯科大学の勝木教授は聴覚分野、熊本大学の佐藤教授は味覚分野、慶應大学の富田教授や金子教授は視覚分野、九州大学の大村教授は食欲・性欲の分野など、そして高木先生は嗅覚分野とそれぞれの専門分野を世界的レベルへ引き上げようと専心していたのであった。

当時の高木研究室にはユニークな人材が集まり嗅覚研究、とくに嗅覚系の中枢経路の解明に力を注いでいた。小野田法彦助教授（後に金沢医大教授）・ＭＫ講師（後に東京大教授）・ＩＭ助手と、都立衛生研から内地留学されていたA先生、東大からのS先生（動物行動学研究者）、九大からのN先生（耳鼻科医）、そして大学院生のT先生（内科医）・YH先生（内科医）とわたしという具合である。教授秘書のWさんと技術員のYさんもいたので、まさに大所帯であった。夏にはピクニックと称して草津・白根山・浅間山をドライブ、冬にはクリスマスパーティーが恒例行事であった。高木先生の「紫綬褒章」受賞パーティーは東京の如水館で開かれ、１５０人ほどの関係者が集まるという盛大なものであった。

こうした人と知己を得たり、パリでの国際生理学会へ参加したりとずいぶんと視野が広がる4年間であった。学位論文は"Olfactory responses of the lateral hypothalamic neurons to stomach distension in unanesthetized rabbits"（胃の膨満に対する無麻酔ウサギ・視床下部外側野ニューロンの嗅覚応答）（*Proceedings of the Japan Academy*, 1978）というもので、ウサギを用いて空腹中枢である視床下部外側野ニューロンから単一神経活動を記録しながら、人工的な空腹――満腹状態をつくり出し、ニオイ応答がどのように変化するかを検討したものである。8種類のニオイを用いていたが、空腹時は1個のニューロンが4～5種類のニオイに応答するのに対し、満腹時では2～3種類に減少するということを明らかにした。わたしたちが鰻屋や天ぷら屋の前を通るとき、空腹状態ならば食欲をそそられ、満腹状態ならば鈍感になっていることを実験的に示したのである。日本学士院の紀要に載せるために、高木先生が学士院会員である勝木先生に頼んで会議での説明を依頼してくれたのである。おかげで掲載が認められ、群馬大学へ提出する学位論文となった。この研究成果はさらに詳しく解析され、アメリカの神経生理学雑誌である*Journal of Neurophysiology*に"Response characteristics of lateral hypothalamic neurons to odors in unanesthetized rabbits"（無麻酔ウサギの視床下部外側野ニューロンのニオイに対する応答特性）（１９８３）として掲載された。高木先生・小野田先生のサポートなくしては４年間で学位取得には至らなかったと思う。いまさらながら感謝である。

高木先生には就職に関してもお世話になった。４年次の秋、学位取得の目途もつき、次はどこに就職できるかどうかが気になるところだった。先輩から「多分教授が考えているから、自分で動かない方がよい」と言われ、少し不安であったが年越しとなった。新年を迎えると、結婚もして長男の栄一も生まれていたので多少焦りを感じ始めていた。１月下旬に東京で日本神経科学学会が開かれたのだが、そのときである。学会場のレストランで唐突にも「こちらが４月から木暮君を受け入れてくれる日本医大のＦＹ教授です」と紹介された。断れる雰囲気ではなかったので、あっさり「よろしくお願いします」と即答してしまった。ともかく職が得られ、研究が続けられるのでよしとしたのであった。その後しばらく高崎から文京区の千駄木へ通うことになるのだが。

10年間の群馬大学時代、以上述べてきたようにヒヤヒヤしながら危ない橋を渡りながらも、2人の恩師に恵まれ、何とか池田先生からいただいた「群馬に強盛なる人材の大河よ流れゆけ」の指針を全うすることができた。恩師に感謝しつつ、運がよかったと思うばかりである。

2019年10月21日(月)

昨日、ラグビーW杯の決勝トーナメント、日本対南アフリカ戦が行われ、残念ながら日本の準決勝進出はならなかった。1次リーグでロシア・アイルランド・サモア・スコットランドに勝ち1位通過だったので、ベスト8からベスト4まで勝ち進んでくれるのではないかと大いに期待された。4年前の大会で南アフリカに「奇跡の逆転勝ち」をしたので、今回は奇跡ではなく実力で勝つという下馬評が高かった。しかし、南アフリカは前回の敗戦を分析し、用意周到に作戦を練ってきたのだろう。スクラム、ラインアウト、キックとすべてにおいて歯が立つ状態でなく、3－26の大差で敗退してしまった。

ノーサイドとなり、両軍のメンバーがハグし合いながら互いをたたえる姿は何と爽やかであったろうか。南アフリカメンバーも日本の実力を認めるコメントをしていたが、わたしもいくつかの試合をTV観戦し、本当に強くなったと思った。ラグビーでは日本国籍を取得した外国選手、長く日本に滞在している外国選手を全日本メンバーに加えられるルールがある。そうした外国人選手が半分ほどいたが、国境・民族を超えて"One Team"になっていた。それぞれの競技場を満員にするほどサポーターも多く、選手と観客が一体となるラグビーの不思議な力を感じた。まだ準決勝・決勝の戦いが残っているので、当分異次元の男の肉弾戦を観戦できる楽しみが続くことだろう。

2019年10月22日㈫

令和天皇の即位式・正殿の儀が行われた。あいにくの雨であったが、つつがなく即位の宣言がなされた。なお予定されていたパレードは台風被害の人々の状況を考慮して11月10日に延期となった。

わたしが生きてきた69年間、昭和天皇の崩御、平成天皇の即位と退位、そして今回の儀式と、さまざまな皇室行事を見てきたが、複雑な心境である。なぜなら、わたし自身「天皇制」について深く考えたことがなく、創価学会の考え方に従ってきたからだ。その学会の考え方もずいぶんと時代によって変化してきたのではないかと思う。太平洋戦争中、治安維持法違反で捕縛された牧口常三郎初代会長の獄死や戸田城聖2代会長の入獄という事実から、戦争責任者としての天皇の存在や天皇制の宗教的基盤である神道に対して暗黙のうちにも批判的立場の学会員が多かったのではないかと思う。両親は神札を受けず祭にも参加せず、わたしも高校の関西旅行の折に鳥居をくぐってはいけないなどと忠実に実践していた。

それが1990年代ごろからか、いわゆる宗門問題が発生し宗門からの離脱が決定的になるに及んで、祭を信仰的行事ではなく友好的行事としてとらえ、それぞれの意見によって参加しても参加しなくてもよいということになった。こうした転換は公明党の与党化と軌を一にしているといってよいだろう。園遊会などには参加しないものと認識していたが、招待されて断る理由はないと公明党議員も笑顔で参加している。大臣クラスになると天皇の前で認証式が行われるので、すでに当然のあり方になっている感がある。「天皇制」について意見を述べられるほどの見識をもっていないが、再考してみる必要があるかもしれない。

母は根っからの皇室ファンで、TVでよく「皇室アルバム」という番組を見ていた。一方、父は「一度、葉山の御用邸で昭和天皇にあったことがある」と誇らしく語っていたことがあった。本当かどうか不明だが、特定郵便局制度の存続を東日本の局長会の代表として願い出たらしい。存続している現状を考えると、昭和天皇がマッカーサー司令官へ伝え、その結果存続したことになる。本当だとすれば父の功績は大したものになるし、嘘だとすれば誇大妄想狂を患っていたことになる。こうしたことを思い出すとき、もっと深く父の人生について語り合っておくべきだったと悔やまれる。

２０１９年10月23日㈬

久しぶりに晴天の秋空である。しかし、週末には台風21号の接近も予想されているので油断ならない。15号や19号の被災地はまだ完全復旧にはほど遠い状態なので、上陸しないで逸れてほしいと祈るばかりである。

さて以前にふれた父の「事件」について、ここでわたしが知る限りのことを述べておこう。郵便局長免職なども事件であったが、それ以上のことが起こったのである。わたしが小学校2年生のときであるから１９５７年だったと思う。小学2年ならば記憶に残っていてもいいのだが、何も残っていないのである。事件当日わたしは桐生の自宅にはいなかったのか、恐怖のあまり自分の脳が強いストレスを受けて記憶を抹消してしまったのか定かでない。

その事件とは、父が弟の英道を刺傷させるという事件であった。何が原因でそうしたのかは判然としないが、例のごとく酒乱癖があったのでそこに行きついてしまったのではないかとわたしは考えていた。当然刑事事件として扱われ、父は桐生署に留置されたのである。その後の裁判で、父は名前の「誠也」の真意（まことなり）を通して「殺意があった」と認めてしまったようだ。そうなると情状酌量の余地はなく、「懲役3年の刑」があっさり決まってしまったとのことである。大家族であった木暮家は一家離散状態となり、母と姉たちとわたしは母の実家の佐波郡赤堀村（現・前橋市赤堀町）へ移った。常住御本尊を授与されるとき父は幹部から「良くも悪くも大きなことが起こるかもしれない」と言われたそうだが、下付された年であったから、後で聞かされたとき驚いた記憶がある。よい方向へ行っていれば、当時公明政治連盟が発足し参議院や地方議会への進出が考えられていたそうで、父も桐生市議の候補になったかもしれないと母は言っていた。

母は晩年入間市のケアハウスで過ごしていた。施設長や一緒に過ごしている人たちがとてもよい人たちであったので、母は満足しているようであった。2～3週間に1回は訪れて、施設の食堂ではあまり出ない寿司を食べながらいろいろな話をした。ある時、母の方から英道には変態癖があったことを話してくれた。わたしは気を遣いすぎて事件の核心に迫るようなことは聞けなかったが、母は父にそのことを話したのではないか。そして、飲んだ勢いで父が英道にそれを糾したところ逆ギレに遭い刺傷に及んだのではないかと、わたしは想像した。それだけで「殺意があった」ところまでいくのかと疑問が残ったが、真相に迫る勇気はなかった。もう一つは英道が御本尊に手をかけ、周りの部分を破いたとのことであった。父が出所後すぐに表具のし直しを頼んだので、これは事実である。父が代表の一人として常住御本尊をいただいたのであるから、父の性格から考えても殺意が芽生えても不思議ではないだろう。いずれにしても酒乱・変態癖・御本尊への不敬ということが刺傷事件の原因だったと考えることが妥当であろう。

母の実家での3年間はとても辛いものがあった。加えて母は桐生の織物工場だったと思うが住み込みで働いていたので、淋しい思いをしながらまわりの厳しい目に耐えていたように思う。赤堀小学校へ通いながら、後ろめたさを感じていたせいか、その分勉強や野球の練習に励んだのである。堂々と胸を張れない、いつも空虚感を抱えながら全力で物事に取り組めない、こうしたわたしの生命の傾向性は幼少期から赤堀時代までに形づくられたのかもしれない。長女である姉は、前にも述べたように大人の喧嘩を止めさせようとしたり、赤堀時代でも全く臆することなく正直に強く生きていて、本当に立派な「マコトナリ」を受け継いで振る舞ってきた。

父は3年間を通し、模範囚であったらしい。牧口初代会長や戸田第2代会長が獄中でしたように、題目を唱え、日蓮大聖人の御書を真剣に研鑽したといっていた。小さな手帳に日記を記していたのであるが、それを紛失してしまって獄中での生活ぶりが明らかにならない。残念である。

3年後、父が帰ってきた。わたしたちは母の実家内の長屋に住んでいたのだが、そこで家族そろって夕飯を食べた。その光景やおかずが何であったか記憶が全くない。不思議なもので、新しい電気釜で炊いたご飯のニオイはわたしの頭の片隅に残っているのである。

母の実家・M家は先祖に赤堀村の村長をした人がいるなど名家であった。母は長女で幼稚園の保母、弟2人は医師、妹は教師、末っ子の弟も教師であった。父の事件でずいぶんと迷惑をかけたようであるが、それでもわたしたちをサポートしてくれた。とくに二男の叔父は実家に戻るたびにお土産をもってきてくれ、人生初体験となるチョコレートを味わわせてくれた。また『世界発明発見物語』という本を贈ってくれ、何度も熟読したことを記憶している。わたしの科学者への憧れはそこに原点があったのかもしれない。長男の叔父も医師ですでに開業医であった。今から考えれば優しい叔父だったのであるが、当時はとても厳しい人に思えた。父は堅実なこの叔父から、勝海舟の掛け軸を担保に100万円を借りて当座の生活や次なる就職活動の資金にしたようだ（この掛け軸は、父の母の家系が伊達藩の御典医であり、嫁入りのとき持参したとの謂れがある。当時の約束で、受け継ぐ男子がいない場合はわたしに返すとしたそうで、実際叔父が亡くなる5年前、表具代の20万円だけでわたしに返してくれた）。

父は桐生工専（現・群馬大学工学部）の応用科学科の出身で、友人に鍍金会社を経営する人がいて、高崎の「群馬鍍金㈲」に溶液管理を専門とする工場長として就職した。高崎でのわが家の生活も波瀾万丈であったといってよい。わたしも高崎西小へ転校するのであるが、その辺は後日述べることにしよう。

2019年10月24日㈭

本日は妻・敦子の68歳の誕生日である。お祝いのメールを送ったが、一向に返信がない。やはり4月の一件を契機としたわたしの「断交宣言」に真っ向勝負を貫いているのだろう。わたしとしては信仰の問題とは別に、さまざまな遺産の断捨離問題を相談したいのだが。とにかく話し合わなければ進まない以上、放っておくしかないかとこちらもダンマリを決め込んでいる。

敦子は義父・ＯＪの性格をよく引き継いでいると思う。義父は富岡市南蛇井の名主であったK家の出で、直系ではなかったので新宅のO姓を名のるようになったという。東京教育大出身で長く教師を務めた。学徒出陣も経験していて、全滅したアッツ島へ出兵したそうである。眼病のため病院船で北海道へ向かうとき、アッツ島は空襲に遭い全滅したわけであるから、奇跡的な生還者の一人である。したがって、終戦後は平和への思いが人一倍強かったようで、正義に反することにはとても敏感であったようである。創価学会への入会理由も、牧口初代会長の「創価教育論」や戸田第2代会長の「原水爆禁止宣言」などへの共感に基づくものであったらしい。当時は病気や貧乏の悩みが入会動機となる人が多かったが、O家の入会はいたって理性的であったように思われる。その後も、教師として学会員としてそうした姿勢を貫いた。

義母・OFも前橋師範学校の出身で長く教師を務めた。8人兄弟の長女で、弟や妹たちには医師や教師などが多く、北群馬郡吉岡村の鍛冶屋を営んでいた両親が教育熱心だったことがうかがわれる。義母は義父を尊敬していて、信仰上の衝突でわが家を訪れたとき「OJは正義の人でした」とあまりにも強い語調で言うので、わたしには「そうした生き方を貫きなさい」と強制されているようで違和感を覚えたことがあった。思えば結婚当初からその違和感はあったような気がする。仕事や子育てで忙しく、敦子がクッションの役割を果たしていてくれたので、それを意識することなどほとんどなかったが。

この歳になって、幼少期に形成された人格の根幹はなかなか変わらないものであると認識するようになっている。「三つ子の魂百までも」である。当然ながら善悪両面を持ち合わせているから、仏法的にいうならば六道と四聖のどちらかを顕在化させたり潜在化させたりしながら人生を生きるのであろう。願わくば善なる四聖の境界をより多く発動させたいものである。

2019年10月27日(日)

台風21号は上陸こそしなかったものの大雨をもたらし、土砂災害や河川の氾濫をもたらした。とくに福島や千葉は15号・19号による被害の上に今回の被害であるから、TVのインタビューに答える人の表情は悲しみをあふれさせ、その怒りをどこへ向けていいのか放心状態の様子であった。わたしも共在と共感の一念を強くもち、その思いを込めて題目を送るしかない状況である。政府の災害対策へのさらなる予算措置が発表され、被災者への迅速なサポートと復旧援助に拍車がかかりつつある。しかしトリプルパンチであるから長い時間がかかることが予想される。応急手当てを講じながら、抜本的な対策が練られることを期待する。

最近、車で出かけては〝孤食〟をする機会が多いのであるが、TVで〝ゆで太郎〟という蕎麦チェーン店が紹介されていて、比較的近い狭山店へ出かけた。蕎麦とカレーのセットを注文したところ、そのカレーの味が下宿で出された懐かしい味を思い出させてくれた。それを食しながら胸がつまる思いであった。下宿のオーナーはUZさんといって父が折伏して創価学会へ入会させた最初の人であった。とても親切な人で、前にも記したが、朝・晩の2食付きで月額1万2000円という低額の下宿代であった。そのときの友人たちの顔が思い出され、ワイワイ楽しく青春時代を過ごした光景がよみがえった。月に2〜3回晩御飯がカレーの日があって、出来立てを食せるときはよかったが、研究や活動で遅くなったときは冷えたカレーで満足させたものであった。香りや味が記憶と結びついているわけは、嗅覚系や味覚系と記憶領である側頭葉との神経連絡によるのであろう。日蓮大聖人が御書で人間の宿命を「薫習」と表現されているが、一瞬一瞬の振る舞いが薫りのように生命に刻まれていることを示し、まさに卓見であると思われる。「ゆで太郎カレー」のリピーターになりそうな予感がする。

昨日、置き薬の広貫堂のNさんが来て薬箱のチェックをしてくれた。2カ月に1回ぐらいの割合で回ってくる。30分ぐらい話し込むのであるが、頭髪が少ないことを悩んでいる息子さんがいて、最近緑色の育毛剤に変えたところ少し毛が伸びはじめているという。前に『ミトコンドリアはミドリがお好き！』を贈呈したので、まじめに読んでくれて実践したらしい。入浴剤も緑色のものを使うようにしているという。木暮研のメンバーを含めていろいろな人に贈呈したが、その本の中でわたしが主張したことをまともに受け止めてくれた人は達磨岩手県知事ぐらいであった。Nさんが2人目ということになる。嬉しいかぎりである。

2019年10月30日(水)

ようやく秋らしくなってきたが、すぐに冬になりそうなので被災地の状況が気になる。安倍内閣が総力をあげて支援すると宣言したので、少しは復旧への光が見えてきたかもしれない。

一昨日女優の八千草薫さんが亡くなった。88歳で膵臓がんだったそうである。最後まで女優業を全うし、亡くなる30分前まで看護師さんと会話をしていたという。これこそ、わたしが理想としている「自然死」に近い逝き方なのではないか。父が大ファンで、TV出演を見ながら母が隣にいても、その演技の素晴らしさや秘めたる表情の豊かさ、そして声色や上品さなどを評論家の域を超えて絶賛していたことが思い出される。最近の映像のなかで額の左隅にコブのようなものが見受けられたが、放射線療法や化学療法の副作用ではないかと疑ってしまった。それにしても見事な最終章ではなかったか。

昨日は緒方貞子さんが亡くなった。国連の難民高等弁務官として世界中を回りながら、戦争被害者の難民の実態を明らかにし、国連としての支援策を提案し続けたとのことである。ウィキペディアによれば、曾祖父が犬養毅であることなどを含めすごい家系であることがわかる。聖心女子大学文学部英文科出身で、カリフォルニア大学バークレー校で政治学の学位を取得している。ＩＣＵ講師のとき参議院議員・市川房枝氏より誘いがあり、国連総会（１９８６年）への日本代表団に加わった。以来、国連関係の仕事につくようになったといわれる。死因は公表されていないが、92歳であったので老衰であった可能性が高い。現在の国連事務総長が「緒方さんは人道主義者で、世界中の模範となる人であり、深く悲しんでいる。信念に基づく思いやりがあり、効果的な難民支援の基準を確立した」と追悼のコメントを寄せている。〝巨星落つ〟感が強いが、偉大な功績を残した人のまわりには必ず後継の人材が育っているものである。そうした分野に願って出現する〝地涌の菩薩〟の存在を信じたい。

2019年10月31日(木)

このところぐっと寒くなり、両脚の違和感や痛みがひどくなっている気がする。加えて胃腸の調子がイマイチで、口内炎もできているので、食欲はあるのだが食事が進まない。時間がたっぷりあって著述作業も順調に進んでいるのだが、自由すぎるのがストレスになっているのか。贅沢な悩みである。

アメリカMLBのワールドシリーズでナショナルズがアストロズを4勝3敗で破り、球団創設40周年で初優勝となった。アストロズには大谷翔平選手を抑え込むバーランダーやコールという全米を代表する投手がいるので圧勝だと思っていた。最初アストロズの本拠地ヒューストンでナショナルズが2連勝し、次いでナショナルズの本拠地ワシントンでアストロズが3連勝、再びヒューストンに戻ってナショナルズが2連勝して決着がついた。解説者が野球には1試合の中でもターニング・ポイントがあり、シリーズ全体でもそれがあるといっていた。優秀な選手でも観客の期待を強く意識して十分な力が発揮できない場合があるそうだ。バーランダーはアメリカンリーグの№1投手であったが、このシリーズで2敗してしまった。その点、ナショナルズはワイルドカードから勝ち上がり、地区優勝、リーグ優勝と捨て身で戦ってきたので、その経験が最後の後押しになったのだろう。来期のMLB、大谷選手が二刀流として復活するであろうから、いろいろな対決が観戦でき期待はますます膨らむ。優秀なピッチャーさえ1人加われば、ヒーニーと大谷で3本柱が確立するし、打撃の方もトラウト・プホルス・大谷でクリーンアップが組めるので、エンゼルスのWS制覇も現実味を帯びてくる。楽しみは増えるばかりである。

2019年11月1日㈮

何ということか! 昨日、沖縄のシンボルである世界遺産・首里城がほぼ全焼してしまった。中心である正殿から出火し、南殿・北殿と延焼が広がったらしい。琉球王国時代からの建造物で、政治・経済の中心だったとのことである。過去にも焼失したことがあり、太平洋戦争時でも空襲で焼失したと報じられている。現在の建物は1992年から数年を経て再建されたもので、沖縄県民のみならず世界市民が訪れる「平和の象徴」であった。再再建までにはよほどの年数が必要とされ、とくに沖縄県民には「ぽっかり心の中に穴が開いた」状態だという。

本年はノートルダム大聖堂の火災といい、今回の首里城の火災といい、世界的建造物の火災が相次いだ。とくにわが国にあっては風災・水災が加わり、まさに「大の三災」が国民に驚愕と絶望感を与えた記憶に残る一年となるに違いない。経済的被害は甚大で、普通だったら厭世的気分になってしまうところ、なおも前向きに生きていくしかないとする現地の人たちの何という逞しさか。

11月11日はわたしの誕生日で、もうじき69歳となる。誕生日が来るたびに父の誕生日3月3日（大正11年：1921年）が思い出され、長男・栄一の誕生日7月7日（昭和53年：1978年）も意識にのぼってくる。三代続けてゾロ目の誕生日とは何か因縁があるのだろうか。佳節を刻んでいるとは言い難いが、自分では何か社会に役に立つ大きな仕事を成し遂げる使命をもった家系であると決め込んでいる。父のそれは特定郵便局制度の存続か、長男のそれはthe band apartとしての音楽活動か、わたしの場合は「ミトコンドリアはミドリがお好き」の発見かということになる。そんなに大そうなことではなくて、ヤクザの賭場ではゾロ目は勝負を決するものであるから、むしろ「上州の大前田英五郎や国定忠治の子分の流れを継いでいるのでは？」と敦子に言われたことがある。裏目もあることを忘れてはならない。

2019年11月2日(土)

朝から吉報である。オックスフォード大にいるFYさんから次の就職先が決まったとのこと。中国・広州市にある〝華僑の最高学府〟として有名な暨南大学(Jinan University)である。オックスフォードのMolnar教授のもと共同研究していたLei Shi教授が明春より3年間ポスドクとして雇ってくれるとのことであった。アメリカ創価大学・講師の件はどうなったか書かれていなかったが、ともかく発展著しい広州の大学で研究職を得たことは素晴らしいことである。1週間ほど前に、悩んでいた彼女に「白馬が天空へ飛翔していくような題目をあげていってください」と激励したばかりなので、それを実践した彼女に結果が出たことはまさに「無量宝珠不求自得」であり、「諸天善神のはたらき」であると確信した。

大いに盛り上がったラグビーW杯は南アフリカがイングランドを破って優勝した。ニュージーランドはウェールズを破って3位であった。日本は南アに負けてベスト4を逃したのであるから、その南アが優勝したとなると実質的な2位であると贔屓目に評価する人もいる。ともかく日本のラグビーのレベルが上がったことは確かである。競技場を埋め尽くすサポーターの多さと礼儀正しさも評価され、近未来のW杯を再び日本で開催する提案も出ているとのことである。試合はまさに肉弾戦であるが、〝ノーサイド〟の後の選手たちの互いに讃えあう清々しさは観ていて気持ちのいいものである。外国の選手が空き時間を利用して台風の被災地を訪ねボランティア活動に参加したと報道され、ラグビーの底流にある〝ジェントルマンシップ〟を感じた。

秋も深まるにつけMLBロスやラグビーW杯ロスを引きずりそうであるが、さまざまな駅伝やジャンプ・スケートなど冬の競技が目白押しなので、楽しみはまだまだ続く。しかし、こうした晴れやかな報道ばかりでなく、S経産大臣やK法務大臣の辞任が相次いでいることも記憶にとどめるべきである。いずれも選挙中の金品のバラマキやバイト代の過剰支払いなど公職選挙法違反が辞任の理由である。政治家の底流には〝ジェントルマンシップ〟がないのかと嘆かざるを得ない。

2019年11月3日(日)

「文化の日」であり、「文化勲章」や「文化功労章」の表彰が行われる。創価学会ではこの日を「創価文化の日」と名づけ、教育本部・文化本部・国際本部に所属する人を対象に「広布文化賞」の表彰が行われる。義兄のTKさんは群馬県学術部長また群馬大学教授として2度「広布文化賞」を受賞している。

11月3日となると1978年の「菊花グループ」の結成式が思い出される。当時の創価学会文化本部は教育部・芸術部・ドクター部・学術部・国際部・文芸部から構成されていた。それぞれの部の代表者からなる60名が選抜され、この日に創価大学で「菊花グループ」としての結成式が行われた。わたしは当時、群馬大学大学院・医学研究科の院生であったが、学術部の一人として加えていただいた。池田先生と記念撮影があり、記念の会食会もあった。さまざまな激励があり、学術部には「光学即広布」と揮毫された色紙が代表の岩木正哉さん（当時理研研究員）に授与された。この結成式後、学術部では岩木さん・IHさん（電通大副学長）・ITさん（信州大名誉教授）・IYさん（創価大学名誉教授）など、ドクター部のYさん（埼玉医大教授）・OTさん（Oクリニック院長）・Sさん（赤羽歯科院長）など、国際部のYさん（当時山一證券社員、現在経済コンサルタント）・IHさん（創価大学非常勤講師・ドイツ語通訳）など、教育部のAさん（創価大学非常勤講師）・Kさんなど、芸術部のTさん（彫刻家）・SNさん（日本画家）など、いろいろなジャンルで活躍する人たちと知己を得ることができた。ちなみに芥川賞作家のMTさんも文芸部の代表として参加していた。毎年11月上旬にグループ総会を行い、後に5年に1回というようになり、40周年を最後に総会は開催されなくなった。しかし、互いに連絡を取り合いながら互いの成長ぶりを確認することができ、わたしにとってはかけがえのない縁になったといえるだろう。

今から考えると、良い先輩や友人に恵まれたという意味で、わたしの20代は何と充実していたことか。菊花グループの一員になれたことをはじめ、「大学新報」の「北関東かわら版」の編集長、聖教新聞・前橋支局の通信員などを通して広いヒューマン・ネットワークをつくらせていただいた。研究という一番大事な部分がおろそかになったことについてはすでにふれたが、取材したことを記事にまとめ、限られた時間の中でそれを仕上げることのむずかしさ、そして何度もボツをくらった光景が今でも明瞭に浮かび上がる。厳しかったけれど、それから逃げなかったことが今の福運をつくったのだと確信する。父は「誠也（まことなり）」、わたしは「信一（信心第一）」に徹してよかったと思う。敦子がいれば、「信・行・学」の肝心な〝行〟の実践なくして何が「信心第一」だと言われかねないが。

2019年11月5日㈫

朝晩が急に寒くなってきている。早朝に目が覚めてしまい、思わず暖房を入れてしまう。

冷え込むと下肢の循環が悪くなり、違和感や痛みが強くなる。昨晩、東洋哲学研究所のYT研究員から電話があり、「紅葉と温泉と蕎麦を楽しみませんか」との誘いであった。快諾したら、創大法学部のKN教授とも話し合って日程を調整しますとのことであった。

YTさんは東哲では神学研究に励み、創価大学人間学部および通信教育部で非常勤講師として哲学・倫理学を講じている。南山大学で博士（哲学）の学位を取得するなど、外部評価のすこぶる高い学者である。看護学部でも生命倫理を教えている関係で、有志が集まってYTゼミをつくり、現在は「現象学的身体論」についてディスカッションを重ねているという。隔週の火曜日の6限目にゼミが行われるので、11月12日に参加することにした。ユニークな学生が多いとのことで、大いに期待したい。

さて父の波瀾万丈の人生の続きを記したい。出所後しばらく母の実家で暮らしていたが、すぐに桐生工専時代の友人が経営する「群馬鍍金㈲」に勤めが決まり、高崎に引っ越すことになった。高崎市並榎町の「むつみ荘」というアパートで、2Kの住居であった。そこに親子5人だから狭いことこの上なしの状態だったが、その狭さはあまり意に止めなかった。桐生時代の、今でいえば6～7LDKにあたる屋敷の思い出がある長姉はいつもその怒りを父にぶつけていた。父の晩酌が進むと、必ず長姉と口論になったことを覚えている。父は後悔もあってか、腕を振るうことはなく苦虫を噛みつぶしたような顔をしていた。

わたしは高崎市立西小学校6年生へ、次姉は第四中学校2年生へ転校した。長姉は群馬県立伊勢崎女子高等学校1年生であったが、多分試験を受けた上で、高崎女子高等学校1年生となった。母も「日の丸幼稚園」に職を得て、暮らし向きは落ち着いてきたようだった。ところが引っ越して3年目だったと思うが、高崎の町中にあった「群馬鍍金」が火災を起こし、父には責任がなかったにもかかわらず工場長であったがゆえに煮え湯を飲まされたようであった。「群馬鍍金」は郊外に移転したが、社長であった友人との人間関係もこじれ、父は退職を余儀なくされたようである。

父は桐生工専時代の恩師を訪ね、その恩師は高崎職業訓練学校の校長をしていた関係で、そこでの雇用を頼んだ。一向に返事がないので連絡を取ったところ、「とっくに採用通知を群馬鍍金の方へ送ったよ。返事がないので不採用となった」と残念がっていたとのことであった。不運にも会社に届いた通知は父に知らされることなく、闇に葬られたことになる。今ならすぐに訴訟問題に発展しそうな扱いである。父には事件の前歴があり、出所後に雇用してくれたとの恩義もあり、それで強く出られないところがあったのかもしれない。これも父の人生にとっては大きなターニング・ポイントであったに違いない。

その後、同業の「三和鍍金」に移り仕事を続けた。「三和鍍金」も最初町中にあったが、いろいろなところで公害問題が起こってきた時なので、やはり郊外に移転した。この会社には社員住宅があり、高崎市上佐野町に引っ越した。住環境は少し改善されたが、父は長年メッキ会社に勤め、とくに溶液管理に携わっていたので有害ガスを吸い続けたため、多臓器不全という健康被害は進行していたことになる。職業訓練校の教師になっていれば、もう少し寿命を延ばせたのではないかと悔やまれる。

事件を起こしたのち、両親の学会役職は解任されたように思われるが、除名はされなかったのではないか。しばらく創価学会とは遠ざかっていたと思う。ところがむつみ荘に移って2年目ごろだったろうか、学会員の人が訪ねてきて、母と長姉が再び活動をすることになった。少し遅れて次姉も参加した。わが家はむつみ荘の2階であったが、訪問してくれた人の話によると、鴨居に掛けられていた「財施護法」という日淳猊下（日蓮正宗65世法主）による額が下から見えたとのことであった。その額は当時の創価学会・財務部員に与えられたそうで、会員として掌握に来てくれたのであった。

父とわたしはまだ活動するところまでには至っていなかったが、わたしが驚いたことは父と長姉との口論がなくなったこと、わが家に歌を歌うことや笑いが多くなったことであった。そして、長姉は新潟鉄工所へ就職も決まり、次姉は東京の豊島高等看護学院へ入学が決まった。上佐野へ引っ越してからわたしは高崎高校へ通うようになり、高校1年の夏に高崎経済大学の学生部・Oさんとの出会いがあり、わたしも学会活動をするようになった。当時発刊されていた『人間革命』の第1巻と第2巻を読了して感じたこと、Oさんが情熱的に語る「創価学会の歴史と目的」がきっかけであった。冒頭に書いたようにわたしの入信は4歳のときであったが、実質的には「信・行・学」という実践を始めた高校1年の15歳のときであったと自覚している。

信仰実践を始めると必ず「初信の功徳」が現れると教えられた。創価学会・高等部に属すようになってから、ウィークデーの放課後や日曜日は部員増加の戦いといって入会家族の中の高校生の掌握に励んだ。当時、群馬県でも月1回の高等部員会が創価学会前橋会館で行われていて、そこへ参加を促すことも戦いであった（今思うと、あまり意味を考えずに〝戦い〟ということばを使っていた）。高校1年の11月だったと記憶しているが、自宅で唱題していたとき右脇腹に激痛が起こった。姉たちは冗談だと思っていたが、脂汗が出ているのを知り、隣の内科医院へ行った。「盲腸」という診断で、近くのN病院へ入院することになった。入院翌日に手術が行われ、手術は成功、5日後退院ということになった。退院の日に右脇腹が少しうずくのを感じたが、ジュースを飲んだら痛みは消えたので、そのまま退院したのである。

ところが12月になると再び同じ場所に激痛が走るようになった。20分ぐらい続くので七転八倒しながら題目を唱えた。別な泌尿器の専門医のところへ行ってレントゲン写真を撮ると、腎臓に親指大の石が五つ写っていた。診断は「腎臓結石」、治療には①ドイツ製の高い薬で溶かす、②超音波で破砕する、③手術で石を取る、ということが提示された。姉たちから「これこそ信心を始めたことによる〝難〟なのよ。宿命転換の大チャンスよ。信心で乗り越えるしかない」といわれ、①〜③を採ることなく、半信半疑であったが信心で克服することに決めた。3日に1回のペースでその激痛は続き、新年を迎えても一向に消えることはなかった。通学中や授業中でもその痛みが出ると早退して、N病院で痛み止めを打ってもらったりした。1月下旬になると、そのペースは変わらなかったが、唱題中に痛みが引く経験をするようになった。2月中旬に3学期の期末試験が1週間にわたって行われることが知らされ、「赤点さえ取らなければ進級できる」と担任の先生から言われた。今まで以上に真剣に題目を唱えるようになっていた。不思議なことに、その1週間は全く痛みが出なかった。「これこそ初信の功徳だ」と歓喜したが、痛みの発現は1週間に1回となり、ペースダウンしたけれど3月下旬まで続いたのである。4月の春休みに泌尿器科で再検査してもらってみたところ、レントゲン写真から結石が消えていた。医師も驚くやら父とわたしも驚いた。医師からビールには利尿効果があるから飲むとよいと勧められ何度か飲んだが、わたしには「唱題の力で宿命転換したのだ」という確信が生まれたのである。以後、現在に至るまで腎臓結石の再発はない。

このわたしの体験が父の活動復帰を促した。昔のように積極的になったわけではないが、座談会をはじめとしてさまざまな会合に参加するようになった。御書講義も担当するようになり、「どこでそんなに勉強したのか」と問われると、「戸田先生のように獄中で題目を唱えながら熟読した」と答えたようである。やがて地区部長としても活躍するようになり、「一家和楽の信心」が実現したのである。

父の波瀾万丈の最終章は見事なものであったと思う。なぜなら3人の子供の結婚を見届け、7人の孫の成長も見届けることができたからだ。結婚式では得意な「オーソレミオ」を披露し、孫たちの誕生日や七五三の日にはいつもプレゼントを贈るくらいであったからである。相変わらずの社宅暮らしであったが、子どもたちはそれぞれ独立し、夫婦水入らずの人生であったと思う。この時期こそ両親からもっと話を聞いておけばよかったと悔いが残るのである。もっとも高崎から文京区千駄木の日本医大へ通勤していて無理だったのであるが。

前にもふれたが、晩年、父は多臓器不全で入退院を繰り返していて、合間に出勤するという具合であった。61歳の1982年5月21日、食道動脈瘤破裂で霊山に旅立った。わたしが日本医大に勤めて3年目のことであり、まさに「親孝行したいときに親はなし」であった。亡くなる1年前に高崎の八幡霊園に墓地を購入し、母や子どもたちから「何と準備のいいことか」と笑い話になったが、それが実現されてみると悲しみどころか清々しい「千の風」のような最期であった。

2019年11月8日㈮

秋が深まり、TVでは紅葉をこれでもかというように報じている。わたしにとっては1994年のバンクーバーの紅葉が思い出される。いたるところにメープルがあり、とくにUBCキャンパス内のメープルの紅葉には感動した。徐々にというのではなく、あっという間の紅葉で実に美しい色彩の変化であった。日本のカエデやモミジの葉は小ぶりであるが、カナダのメープルは葉が大きく、その色彩変化が余計に際立った。何とか残したいと思い、BC－TELの分厚い電話帳にかなりの枚数を挟み込み、結果見事なメープルの押し葉ができあがった。

実はメープルの押し葉はわたしを受け入れてくれたUBC・神経学研究所のJ. A. Wada（和田淳）教授の趣味で、前年に手紙でやり取りしていたときWada先生からの手紙にはその押し葉が入れてあったのだ。わたしがつくった押し葉は電話帳3冊に及び、日本へ持ち帰った。今でもときどきその押し葉を見たり、ラミネーターで封入して作品にしたりしている。インドへ行ったとき購入してきたパッピラリーフ（菩提樹の葉：弱アルカリ性の溶液で葉を溶かして葉脈だけになっている）も同様に封入するとなかなかの作品になる。

いつだったか忘れたが、味の素スタジアムで行われたフリーマーケットにそれらの葉を出品した。A４判を３００円、B５判を１００円で売ったのだが、メープルリーフの方が3枚、パッピラリーフの方が2枚しか売れず、合計９００円の売り上げであった。敦子や子どもたちに呆れられたことを思い出し、同時に笑いがこみあげてくる。わたしはどうもポジティブに事が運ぶと思い込むくせがあるらしい。

芸術作品といえば、わが家には1点だけ素晴らしい絵画がある。２００７年、ドイツのビンゲン市にあるビラ・ザクセンでヨーロッパ科学芸術アカデミーと東洋哲学研究所共催のシンポジウム「生と死」が開催された。わたしは「生命の始まりと終わり――呼吸を重視した生命観」と題して講演を行った。その内容については後日記すことにしよう。

シンポジウム終了後にお土産を求め、ビンゲン市のライン河沿いの骨董品店に足を運んだ。さまざまな絵画やマイセンをはじめとする陶器・磁器が無造作に陳列されていたが、購入したいと思うものはなかった。帰りがてら、2階の入り口のドアは開いていて入

ドイツ・ビンゲン市にあるビラ・ザクセン

わが家の名画：画家とモデルともに不詳

るときは気づかなかったが、ドアの陰に王女らしき油彩の肖像画があったのである。70㎝×80㎝ぐらいの大きさで、その美しさにまさに一目ぼれしてしまった。購入したいと強く思ったが、皆で行動していたのでそのタイミングを逸してしまった。帰りの機内でも、自宅に戻ってからもその思いはますます募り、ついに購入しようと決断した。ビラ・ザクセンの管理人をしていたＢＫさんと連絡を取り、その絵の購入をお願いした。ＢＫさんが親切にも聞き入れてくれ、見事なまでに梱包した状態で輸送の手続きをしてくれた。帰国後２週間ぐらい経ってから届いたのである。その王女との再会は、それはそれは格別なものであった。すべての費用は25万円ほどであったが、わたしにとってその絵の価値は１０００万円ぐらいに膨らんでいる。ＢＫさんの配慮にただただ感謝である。久しく連絡していないが、きっと品のある笑顔を振りまきながらドイツＳＧＩメンバーを元気づけているに違いない。

２０１９年11月10日(日)

令和天皇の即位祝賀パレードが行われる。本当に雅子皇后が水を得た感じで、素敵な笑顔を沿道の人たちに向けていた。願わくば、少し重い時代であった平成から、両陛下のリーダーシップで明るい希望がもてる令和の時代を拓いていってもらいたい。

昨日、群馬県の「次期総合計画」を議論する諮問委員会が発足したという記事を見つけた。ＹＩ県知事のもといろいろな分野の知識人で構成されていたが、わたしもその提言者になりたいという欲がもたげ、知事宛に提言を送ろうと決意した。『ミトコンドリアはミドリがお好き！』の著書も一緒に贈呈しようと思う。

2019年11月13日(水)

2日間かけて、次のようなＹＩ群馬県知事への提言を完成させ、『ミトコンドリアはミドリがお好き！――究極のヒューマン・パワー・プラント』と『わたしの夏季大学講座――創発的健康観のすすめ』の著書とともに郵送した。

提言：「日本の中心・群馬県の先駆的役割」

「鶴舞うかたちの群馬県」と上毛かるたに歌われるように、わたしは群馬県出身者としてそのバランスのとれた美しいかたちに誇りをもっている。また経度・緯度から見ても日本の中心が渋川市にあることに不思議なる存立の有意義性を感じている。内村鑑三・新島襄・萩原朔太郎・若山牧水・田山花袋・土屋文明など偉人の輩出県であり、その知的・文化的レベルの高さは他県に勝るものがあると思う。

最近になって群馬県の「次期総合計画」を議論する諮問委員会が発足したことを知り、わたしが考えてきたことを提言としてまとめさせていただいた。

わたしは桐生市で生まれ、高崎市で育ち、高崎高校卒業後、群馬大学へ進学した。工学部・電子工学科（前橋・桐生）に4年間、大学院・工学研究科・電子基礎工学専攻（桐生）に2年間、医学研究科・第2生理学専攻（前橋）に4年間在籍した。医学博士の学位取得後、文京区千駄木の日本医科大学へ最初3年間は高崎から通勤し、埼玉県川口市へ移転後7年間、合計10年間、助手・講師として「てんかん発現メカニズムの解明」に関する研究生活を送った。それから東京都八王子市にある創価大学に工学部が設立されるとき生物工学科・助教授として赴任し、後に教授として30年間、「てんかん研究」と「レーザー医学研究」を行ってきた。この間は東京都西多摩郡瑞穂町に移り住んだ。本年3月末に退官し、創価大学・名誉教授となった。

以下に示す提言は、履歴に基づいて発想したものや、国際学会などで訪れた諸外国の社会システムに基づいて発想したものである。とくに1994年4月から1995年3月までの1年間、在外研究で滞在したカナダ・バンクーバーでの経験を参考にした。箇条書き的な提言になってしまい、体裁のとれた計画案になっていないことについてはお詫びしたい。

1　Round構想（円環モデル）

バンクーバーでは、バンクーバーを中心にノース・バンクーバー、ウエストミンスター、サーレー、リッチモンド、ウエスト・バンクーバーの円環状に配置された各都市を含めてグレート・バンクーバーと呼ばれていた。各都市はフリーウェイで結ばれていた。

群馬県も将来的には前橋と高崎が合併して政令都市・前高市がつくられれば、円環モデルの中心に位置づけられよう。周辺の渋川、大胡町、桐生、太田、伊勢崎、藤岡、富岡、安中を円環状の衛星都市として連結できるのではないか。既存の県道・市道を拡張してフリーウェイ化することはそれほど難しいことではないと思われる。中心と衛星都市を結ぶ放射線道路は既存のものがあり、円環道路と放射線道路を組み合わせるとパリの都市構造と類似するものになるのではないか。

2　Reuse構想（Second Houseモデル）

ノルウェーのオスロ市民は本土にファースト・ハウスをもち、フィヨルドに点在する島々にセカンド・ハウスをもっている。週末になると家族や友人とそのセカンド・ハウスで楽しく過ごすという。１９９３年のことであったが、３ＬＤＫほどのセカンド・ハウスが３００万〜４００万円で購入できると聞いた。

群馬県には海がないが、山紫水明の大自然が豊かである。なかでも赤城・榛名・妙義の上毛三山が、上述した円環モデルのフリーウェイの外殻に位置している。山麓とフリーウェイの間はセカンド・ハウスの場所として適していると思われる。セカンド・ハウスをもつ１番目のメリットは災害時の対策としてである。衛星都市のファースト・ハウスが被害を受けても生活必需品が備蓄してあるセカンド・ハウスへ移動できれば、当座の生活はしのげるからである。２番目は過疎化の防止にもなる。３番目は廃校や廃屋の再利用でセカンド・ハウスの建設費を安価に済ませることができる。こうしたメリットは災害大国における防災への促進力になると思われる。

3　Redundancy構想（冗長性モデル）

冗長性とは「一時は無駄なように見えるが、いざとなると機能する特性」のことである。

わたしたちの脳にはまさにこの冗長性がそなわっている。乳幼児期にはどのような新しい刺激が来ても対応できるようなたくさんの神経回路が用意される。しかし、成長期において使われる回路がルーチン化されると、余分な回路は徐々に減退していく。逆にさまざまな新しい刺激が来ると、減退することなく回路が新たにつくられることも促され、脳機能が不活性に陥ることが抑制される（これは認知症の予防にもつながる神経生理学的対策である）。

わたしの三男がお世話になったバンクーバーのウエストウインド小学校の校庭には、片隅にコンテナのようなものが置かれていた。何だと思ったら教室であった。生徒数が多い年度ではそのコンテナを既存の教室に連結して増やし、少ない時は外して積み重ねられるという。実にフレキシブルな対応だと思った。

仮設住宅などにこの冗長性をもたせて、学校や病院をはじめとする公的機関に常時ユニット住宅ないしはユニット病室を準備しておく。災害のときは被災地へそのユニットを運ぶだけで、ある程度の期間対応できるだろう。ポータブル型の蓄電装置や雨水浄化装置などにもこの冗長性を適用させて災害時に備えることもできるだろう。

4　ドローン・システム社会

先日、〝空飛ぶ車〟が近未来に実現しそうだというニュースが流れた。わたしは、むしろ車というよりドローンの方が有効なのではないかと考えている。そして、無人よりも有人で操作する代物にする。軽ワゴン車ほどの大きさにすると、過疎地に暮らす高齢者のところへの物品配達が容易に可能となる。過疎地なのでヘリポートならぬ〝ドローンポート〟を集落単位に造成すれば、高齢者にとってのコンビニになるに違いない。〝ドクタードローン〟も考えれば、懐かしい昔の往診医療の現代バージョンである。有人ドローンを考えるのは、高齢者を孤立させないで、高齢者とのコミュニケーションも大事であるという視点に立っている。

このドローン・システムは現代の様相を革新的に変えていけるかもしれない。一極集中といわれて久しいが、若者が都会へ出ていくという人の流れが緩和されるだろう。都道府県の中心地にドローンポートを造ることはむずかしいので、ドローン・システムを利用する会社や公共機関は郊外へ分散する。逆に日常的に起こっている交通渋滞や通勤ラッシュ時の混雑が低下するに違いない。

このドローン・システムを群馬県がいち早く導入すれば、限界に達している東京都を救うことにもなる。また、前高市は政令都市を超えて副都心の役割を果たすことになるかもしれない。東京都の海抜0メートル地帯が津波や洪水の被害にあえば、首都機能がシャットダウンしてしまうことは容易に考えられるからである。

5 「ミトコンドリア活性化」仮説

わたしは退官するまでの15年間ぐらい「光と生物の密接な関係」に関する研究を行ってきた。光としてレーザーやLEDを用い、それらのうち青色光（405㎚）・緑色光（532㎚）・赤色光（660㎚）にしぼって、神経組織・筋組織・心臓・各種細胞（脳腫瘍細胞・皮膚細胞・毛乳頭細胞）への照射効果を検討してきた。低出力（数十から100㎽）レベルなので組織や細胞を破壊してしまうことはない。その結果、①青色光は組織や細胞の活性を抑制し、場合によっては死へ誘導する、②緑色光はそれぞれの活性を促進する、③赤色光は対象によって活性を抑制したり促進したりする、ということが明らかとなった。

注目すべきは緑色光の特性である。筋疲労を遅延させたり、心筋の拍動を延長させたり、毛乳頭細胞の増殖を促進したりするのである。脳腫瘍細胞や皮膚がん細胞も増殖させるのでがんの治療には向かないこともわかった。ちなみに青色光はがん細胞の細胞死を誘導するので、新たながん治療につながる可能性が出てきた。こうした波長の違いによる異なる光照射効果はどういうメカニズムで起こるのか。それを検討したところ、細胞内小器官でエネルギー分子ATP（アデノシン3リン酸）を産生するミトコンドリアに依存することがわかった。すなわち、①青色光はミトコンドリアを少なくする、②緑色光は顆粒型のミトコンドリアを増やし活性化を上昇させる、③赤色光は融合型のミトコンドリアを増やし活性化を微妙に上昇させる（融合型ミトコンドリアはアルツハイマー病やパーキンソン病の患者の脳細胞で観測されている）、という違いが明らかとなったのである。

以上のことから緑色光の重要性が示唆され、わたしは『ミトコンドリアはミドリがお好き！――究極のヒューマン・パワー・プラント』という著書を出版した（東京図書出版、2015年）。森を散策したり芝生に寝転んだりすることで緑光を浴びるとわたしたちの細胞は活性化するということになる。

群馬県はその緑に恵まれているので、知らないうちにその恩恵を受けていることになる。しかし、その緑を楽しむ余裕をもたないと効果は薄くなるのではないかとわたしは考えている。森林総合研究所の研究によって、森林浴がストレスを緩和させること、免疫細胞であるナチュラル・キラー細胞を活性化させてがん発生を抑制することが報告されてきた。これにわたしたちの研究成果を加えれば、ミトコンドリアが活性化されてATPが1・3〜1・5倍増産されるので食料不足に対する不安が解消される（同じようなカロリーの食事をしても、食後に緑陰や芝生でウォーキングやジョギングをするとＡＴＰ量は増える。１日３食を２・５食に減らせる可能性がある）。まとめると、ストレス緩和・がん抑制・肥満防止に連動することから健康寿命を延長させることになる。さらに不安の解消は認知症の予防にもなる。

少子高齢化のわが国にあって、以上のような「緑光によるミトコンドリア活性化」仮説はエネルギー問題・食糧問題・健康医療問題を解決に導くのではないかと考えている。山紫水明の群馬県はそれらの重要課題に先駆的に挑戦し、現実的な施策（たとえば、緑あふれる公園を広げるだけでなく、学校の校庭や大学のキャンパスや病院の庭を芝生化する）を行うことによって県民に幸福をもたらせられるのではないかと考える。

ここではあえてあげなかったが、①農業・林業・畜産・酪農業などの第１次産業のさらなる推進、②地産地消による生産者－消費者間のウィン－ウィン関係の安定化、③「道の駅」に簡易型ホテル・パーキングを併設することによる県外来県者数の増加、なども今後の課題としてよいのではないか。すでに施策に含まれているのでないかと思い、詳述は割愛した。

2019年11月11日(月)

69歳の誕生日である。今のところ不調は両脚痛だけで何とか生きている。社会貢献はできていないが、たっぷり自由にできる時間があるので、時間主義的幸福観からすれば充実した境界にいるといえよう。

敦子から例の手紙が届いた。誕生祝いの言葉はなく、いつもどおり厳しい日蓮大聖人の御書の一節や池田先生の指導が引用され、そこに数々の叱責が挿入されていた。従来のものとほとんど同じで、その意味では一貫していると感心させられる。これだけ強い口調で主張できるのであるから、精神状態はともかく、身体的には健康なのだなと安心する。妻も68歳、しかしながら日蓮仏法の実践で病魔など引き寄せない境界にいるのかもしれない。

デュッセルドルフで塾講師として働いているMN嬢から写真付きのメールが届いた。わたしの誕生日を覚えていたようで、嬉しいかぎりである。友人たちと一緒に活躍されている様子に励まされる思いである。「ありがとう！　ますますのご活躍を！」と返信した。

2019年11月14日(木)

昨日、前記の提言をYI群馬県知事へ2冊の著書とともに送った。一読してくれればよいがとの思いを込めて。来年度の予算編成の時期なのか、瑞穂町でも「町長への手紙」を募集している。さらにウェブで見たのであるが、田原総一郎氏が石破茂議員の「防災省」構想に対する意見を募集している。これらについてもチャレンジしたいと思う。

今週から大相撲・九州場所が始まった。鶴竜・豪栄道・逸ノ城らが休場で、役力士に今までのところ全勝者がいないので、盛り上がりがイマイチである。白鵬にも衰えが見られ、カド番高安や大関候補の御嶽海もすでに2敗で、相当荒れそうな気配である。TV中継を見ながら、いつも感じることだが、土俵周りで観戦している女性客に何と美人が多いことか。その姿を見るのも楽しみである。わたしの品格が露呈してしまうが。日本医大時代の講師だった先輩が〝日本海隔県美人説〟を語っていたことを思い出す。秋田に始まり、新潟、石川、京都、島根、そして福岡が美人県で、江戸時代の藩主の審美観に由来するという。わたしは群馬県出身でよくわからなかったので、笑いながら「そうですか！」と先輩の蘊蓄を受け入れるばかりであった。しかし生理学会や生命倫理学会で福岡に行ったとき、街行く女性を見ながら、その仮説の正しさに納得してしまった。大相撲を見ながら、相撲そっちのけで美人に見入るわたしは、妻がいれば「老害」だと叱られるかもしれない。

2019年11月15日㈮

寒くなり、あまり外出する気力もなく、ひたすら唱題と執筆に明け暮れている。主夫の仕事もこなしているので、地蔵のように固まっているわけではない。北海道は猛吹雪で、かなりの積雪状態になっているようだ。

こう自然災害が続くと神仏へ祈りを捧げる気持ちが強くなると思うが、多くの日本人はその信仰をもっていないことに気づいているのではないか。景気がよかった時代は「無宗教」を標榜することが知識人などと気取っていた人が多かったが、自然災害が多い現代は「祈り」の重要性に気づかされる。

人間の営みについて池辺義教氏は『医学を哲学する——医学、この問題なるもの』(世界思想社、1993年)の中で次のように指摘している。すなわち、人間のさまざまな営みは大きく、「知の立場」に基づく学問、「情の立場」に基づく芸術、「意志の立場」に基づく道徳・倫理、「祈りの立場」に基づく信仰・宗教に分けられ、それらがそろって「全人的な人生」であるとしている。また、一つの学問領域に過ぎなかった「自然科学」があたかも「哲学」と対置するぐらいに成長し、今やそれを凌駕して自然科学でないものは学問ではないような現状をつくりつつあるとし、科学的思考をあまりにも絶大視し、それ以外の芸術的・道徳的・宗教的な生き方を軽視する科学至上主義が賛美される現状にこそさまざまな難問が含まれていると指摘しているのである。実に見事な洞察だと思う。

その点、わたしは日々「祈り」を捧げられる信仰をたもちながら全人的な人生を歩めることに対し、だれかれとなく感謝の思いが湧き上がってくる。昔は引け目を感じていたが、今や誇りを感じるようになっている。退官して時間が十分にある今、その時間を「祈り」に捧げられる時間主義的幸福感を味わっている。

今日を締めくくる意味で、ＳＨ瑞穂町長へ「町長への手紙」を送稿したので、ここに掲載しておきたい。

「町長への手紙」

殿ヶ谷に30年間在住する木暮信一と申します。退職して時間ができたところ、「町長への手紙」が目にとまり、日頃考えてきたことを以下に示します。

1　短期的要望：「展望レストラン」の建設

スカイホールは瑞穂町のシンボルで稼働率がよいのではないかと思います。何回かスカイホールでのイベントに参加していますが、食事をする場所が狭かったように感じました（最近の事情は分からないですが）。スカイホールからの見晴らしは近くに横田基地、遠くに富士山を望むことができ、ストレス解消にはとてもよいのではないかと思います。

そこでスカイホール内の一部を改造するか、または周辺に「展望レストラン」をつくられたらよいのではないかと思います。レストランは本格的な和食・中華・フレンチなどが味わえる部分とフードコートの部分から構成されれば、多くの年齢層の集客が望めるのではないか。町営・私営の折半という経営で成立するのではないかと思われます（この辺は専門家の判断やマーケティング調査が必要となるでしょう）。併せて、駐車場の整備も必要となりますが、箱根ヶ崎からの直行バスの送迎があれば他地域から訪れる人も増えると思います。

「六道山公園」を整備して、そこに「展望レストラン」を建設するというアイデアもあるかもしれません。小さな塔のような建造物がありますが、そこからの眺望も素晴らしいものがあります。遊園地も充実させれば、ファミリーでの来客で週末はにぎやかな憩いの場所になることでしょう。屋上に温水プールなどを併設すれば、規模は比較になりませんがまるでシンガポールのマリーナ・ベイ・サンズのようで、瑞穂町の名所になると想像します。

2　長期的要望：横田基地の軍民共用化

石塚町長の時代に「横田基地の軍民共用化」が議論の対象になったことがあると記憶しています。石原都知事も積極的で、西武鉄道の援助で横田－新宿間の弾丸鉄道が敷設されれば、都心へのアクセスが一番良い空港となると期待されました。しかし、民間の航空機の離発着が増えれば今以上の騒音問題が懸念され、その共用化案は廃案になったのだと思われます。

したがって、何らかの騒音対策案が打ち出されれば、賛同を得られる可能性があるかもしれません。午後6時から午前6時までの夜間の離発着を禁止することは第1条件でしょう。第2に発着コース下にある住宅・マンションへのさらなる防音支援も必要でしょう。これらは現在までに行われてきた対策であります。第3は、発着コース下のとくに騒音が激しいところは3階建ての長いビル（地下街ならぬ天井つきの地上街のようなものにする）にして、テナント・専門店・マーケット・居住用スペースとして利用するという対策です。居住用スペースは既存の所有者を優先して使用してもらう。屋上に強い防音対策を施せば、かなりの不満が解消されるのではないかと思われます。この辺は実際にコース下で居住する人たちへのアンケート調査などによって、実現可能かどうかが明確になるのではないかと思います。

わたし自身瑞穂町に住んで30年間、ほとんど災害を経験していません。瑞穂という名前が示すとおり、自然豊かな実り多い場所なのではないかと思っています。近年の災害を考えるとき、成田空港や羽田空港が被災地になる可能性は大だと思われます。この観点からも第3空港としての横田空港の重要性が注目されるでしょう。そして、軍民共用の経験が成功し、東アジアの安全保障が担保されるようになれば、長い年月が必要でしょうが「横田基地の返還」にも連動していくのではないかと考えられます。とともに、瑞穂や福生や羽村などはまさに国際都市へと変貌し、国際人が輩出される地域として名をはせるところになるのではないでしょうか。

以上、拙い提案ですが、ご検討いただければ幸甚です。

2019年11月18日(月)

本日は「創価学会創立記念日」である。創価学会の前身である「創価教育学会」の発足は1930（昭和5）年11月18日とされ、その日は牧口常三郎先生が著した『創価教育学体系』第1巻出版の日でもあった。その出版には戸田城聖先生が尽力され、したがって師と弟子たったふたりの「創価教育学会」の出発の日でもあった。その後、「治安維持法」の疑いで逮捕された多くの会員の中、最後まで軍部の圧力に屈しなかったのが牧口先生と戸田先生であった。結果、牧口先生は1944（昭和19）年11月18日に獄死し、戸田先生は生きて出獄した。戸田先生は会の名前を「創価学会」と改め、師の構想を実現するため折伏闘争の先頭に立ち、1958（昭和33）年4月2日、亡くなるまでに75万世帯という偉業を達成したのであった。そして、先師・恩師の意志を受け継いだ池田大作先生が、牧口先生逝去の1944（昭和19）年11月18日を「創価学会創立記念日」と定めたのであった。本年は創立75周年の佳節にあたる。

近年わたしはほとんど学会の活動に参加しなくなっている。敦子の解任やその後の別居状態が地域の人たちにも知られ、何となく気まずいからである。それは「信心第一を標榜するあなたの信念に反するのではないか」と非難されそうだが、69歳を超え、この著作

『自然死への歩み』の執筆に専念するといって誤魔化している。したがって、最近の学会の動向は『聖教新聞』で知るばかりである。今日も一面には「創価学会・世界聖教会館」開館と原田稔会長の4期目が承認されたことが報じられている。『聖教新聞』を見る限り学会はますます隆盛を呈しているが、時たま会う地域の学会員から「現状は厳しく、座談会出席者も高齢者が多く、減っている」と聞くと、学会といえども少子高齢化の影響を受けているのだと思ったりしている。第6代・原田会長も78歳であり、4期目終了時は82歳になるので、後継の若き会長の出現を期待するばかりである。「それはお前が心配することではない」と叱られそうであるが。

2019年11月20日(水)

秋晴れの一日である。冬支度を始めなければならない季節に、台風15号、19号、22号による被害を受けた地域ではいまだ復興ままならず、どんなにか自然災害に対して恨めしく思っているだろうか。政府も補正予算を組んで全面的に支援することを明言しているので、少しは安心できるかもしれない。その指示を出した安倍総理は本日で首相在職期間が歴代の中で最長となったが、園遊会ならぬ「桜を見る会」の開催費用をめぐる問題で非難の嵐を浴びている。総理自らが説明責任を果たさないのだから、何をかいわんやである。

センター入試に関しても、民間企業への英語問題の作題および採点の委託や記述式問題の導入などをめぐって、時間をかけて検討してきたのであろうが頓挫しそうである。介護の問題や年金問題も小手先で改善を図ろうとするが、結局、結果は改悪になってしまい、「人間を幸福にしない日本というシステム」は放置されたままである。

１９６４年の東京オリンピックはまさに経済成長の起点となり、新幹線や首都高などハード面が整備されるとともに、若手人材の登用などソフト面も充実し、世界的・先進的な都市として誇れるようになってきた。その後55年が経過し、経済バブルがはじけて見えてきたものは「少子高齢化」という衰亡への先行きである。もはや「後進国」という孫正義氏や「教育また社会システムとして2周遅れ」という田坂広志氏（多摩大学大学院教授）の指摘を参考にして、抜本的な構想について時間をかけて議論する時期になっていると思う。２０２０年の東京オリンピックは復活へのターニング・ポイントになるか、それとも衰亡への起点となるか、来年の今頃には明らかになるだろう。

2019年11月24日(日)

日韓関係が断交になる寸前に何とか持ち直しそうである。韓国がGSOMIA(軍事情報包括保護協定：General Security of Military Information Agreement)への協力を停止すると宣言していたが、アメリカの圧力により延期という線で妥協したようだ。徴用工問題や慰安婦問題などを含めて、両国首脳がよく話し合って信頼関係をつくらないと政権が変わるたびに繰り返されるような気がする。政治や経済という問題の解決は多様な因子が絡むので、その解決は難しいのだろう。しかし、韓国は隣国であり、さまざまな文化・文明の恩恵を受けた国である。その大恩を忘れて日本は侵略というかたちで応えてしまった歴史的事実を忘れてはならない。「それは自虐的すぎる」と皮肉る評論家がいるが、そこにはすでに相手を敵視する姿勢が刷り込まれているような気がする。差異を超えて、いかにして信頼関係を築くかに専念するしかないと思う。

大相撲・九州場所で白鵬が43回目の優勝を果たした。数字の上では数々の偉業を成し遂げているのであるが、どうも納得できないものがある。それは横綱の風格の問題である。「大相撲」に対するわたしのイメージは全力でぶつかりあったり、押し合ったり、まわしを取って投げ合ったりするというものである。最近ではすかしたり、引いたり、はたいたりして、数秒間で終わってしまう相撲が多い。モンゴル出身の力士が多くなったせいか、彼らのハングリー精神に基づく稽古量の多さのせいか、はっきりはわからない。しかし、わたしの独断と偏見かもしれないが、それは「相撲」であって「大相撲」ではないと思っている。とくに白鵬は横綱を張りながら張り手やかち上げが多く、しかもかなりの力を込めてそれをやるものだから、相手が脳振盪状態になっているのではないかと心配しつつ、「とても横綱の取り口ではない」と思ってしまう。ルール上、それらが禁じ手にはなっていないから構わないという人もいよう。ずいぶん前であるが、白鵬が「名横綱・双葉山を目指している」といい、〝後の先〟のことを話していたときがあった。すなわち、「横綱は相手を受けてから前に出る相撲を取る」ことが理想だといっていたように思う。それが受けるどころか、出足鋭く張り手やかち上げであるから、手に汗握る暇もなく、あっけなく勝負がついてしまう。必死に勝ちにこだわることも大事なのかもしれないが、「横綱の風格」にもこだわってもらいたい。

2019年11月26日㈫

ローマ教皇・フランシスコが先週末来日し、長崎・広島の原爆爆心地を訪れ「核兵器は最大のテロだ」とのスピーチを行った。日曜日には天皇や政府首脳にも会い、東京ドームに参集した5万人の人々の前でミサを行った。天皇の即位の直後なので、マスコミも熱心に取り上げ、ずいぶんと盛り上がりを見せている。天皇の即位の直後なので、今度はカトリックである。マスコミもそうした肝心な宗教の違いにはふれることなく、もっぱらイベント扱いである。こんなところに日本人の本質を見る思いがする。若いうちは「宗教がなくても生きていける」と豪語しながら、年老いると「神さま仏さま、どうぞ救いたまえ」と恐怖心に苛まれる。まさに生命の海に漂う浮草の如きである。

宗教は何でもよいというものではない。宗教者にもその正邪を的確に示せる人は少ない。わたしは日蓮仏法の信奉者であり、その正当性を示してくれた創価学会の歴代会長の死身弘法の生きざまを心から尊敬している。わが人生において信仰者としての実証をつかむ経験を積むことができ、繰り返しになるがわたしは本当に運がよかったと思っている。

ＦＹさんからメールが来て、カリフォルニア大学サンフランシスコ校（ＵＣＳＦ）にポスドクとして内定したとの知らせである。よかった！　よかった！　前に中国・広州市にある曁南大学（Jinan University）に決まったと記したが、ポスドク3年以内という条件があり、内定には至らなかったそうである。彼女は学位取得後、創価大学に助教として2年、群馬大学に同じく1年、そしてオックスフォード大学にポスドクとして1年半と、短期間で移動してきた。したがって、華々しい成果をあげることができなかったと思うが、ようやく落ち着いて研究できる職を得たようだ。彼女の努力は言うまでもないが、周りの人たちがさまざまなかたちで応援してくれたのだろう。ＵＣＳＦで着実に業績をあげながら、認知症をはじめとする脳に関する難病の解決を目指してもらいたい。それが達成できれば、創価大学出身者で第1号のノーベル生理学・医学賞受賞者になるに違いない。それを御祈念できることに嬉しさがこみあげてくる。

2019年11月28日㈭

この辺で、予告してきた「神経生理学的少欲知足論」にふれることにする。長い間「欲望」について考察を深めつつ、脳科学的事実をもとに展開できるのではないかと考えてきたのであるが、まとめて発表する機会がなかった。

しかし、そのチャンスが突然おとずれたのであった。２００2年の第89回インド科学者会議（ＩＳＣ）においてである。創価大学創立者の池田大作先生にＩＳＣの名誉顧問就任の要請があり、その受諾のメッセージを携えてわたしが参加することになったわけである。ＩＳＣはネルー首相の時代から開始された会議で、毎年1月3日より7日まで決まって開催され、国内・国外の科学者や若手研究者が集まって研究発表をしあうというすごい会議であった。「どうせ参加するなら何か発表を」と創価大学の国際部長から言われ、「神経生理学的少欲知足論」の英文バージョンを作成し参加したのであった。行ってみて、その会議が首相の開会宣言から始まるということ、およそ３０００人規模の参加者で開催されること、プログラムは半年前にほぼ決定していたことを知り、わたしの無知さ加減にあきれたわけである（国際部長も会議の規模や内容を正確に把握していなかったのであるが）。大会長のカティヤール副総長（インドは州知事が総長なので、実質的な大学総長）に池田先生のメッセージとわたしの論文を渡し、わたしの発表はプログラムを考慮して遠慮することを伝えた。

「ガンジス川沿いの古都ラクナウまで来て……」と悔やみながらも、会議の統一テーマが「健康とケア・教育・情報技術」であったので、ラクナウ大学キャンパスをぶらつきながら、興味深いセッションを見つけると聴講したりした。

３日目の心理学のセッション会場に行くと、座長がわたしの顔を遠くから見ながら、「You! Dr. Kogure?」と言うではないか。「Come here, come here!」の声に促され、前に行くと、座長が「ＩＳＣ名誉顧問になる池田先生が創立した創価大学から参加したDr. Kogureです。かれに15分の発表時間を与えてもよいですか」と聴衆に諮り、わたしの論文発表が急きょ認められた。論文を30部ほど印刷しておいたが、発表をあきらめホテルに29部は置いてきていたので、1部だけカバンに入れておいたことが何とラッキーだったことか。今でも思い出すたびに冷や汗が出てくる。何とか発表をこなし、いくつかの質問も出た。最後にはサインを求められるなど、初めてづくしの経験であった。後で聞いてわかったのだが、カティヤール副総長が各座長にわたしの発表を強力に薦めてくれていたようである。

その発表論文のテーマが「A neurophysiological approach to the instinctive desires（本能的欲望に対する神経生理学的アプローチ）」というもので、本能的欲望に対する「少欲知足」が健康的な生き方につながるということを趣旨とするものであった。以下にその概略を示す。

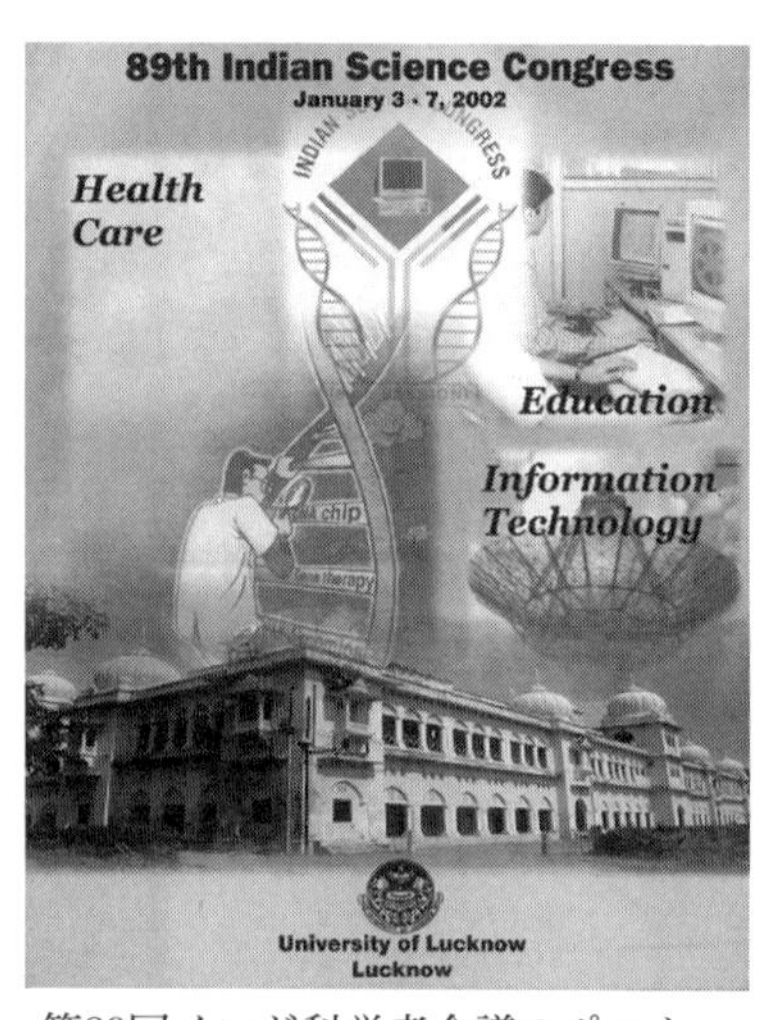

第89回インド科学者会議のポスター

A neurophysiological approach to the instinctive desires（本能的欲望に対する神経生理学的アプローチ）

わたしたちを含めて動物には本能的欲望がそなわっている。食欲という欲求が摂食行動を起こさせるし、性欲が性行動を起こさせるという具合である。前者はわたしの生命を明日につなげ、後者はわたしを含める人間という種の生存を未来につなげる。そうした本能的欲望に関係する中枢として脳幹や大脳辺縁系（記憶で有名な「海馬」や、情動や嗜好性をコントロールする「扁桃体」などを含む）があげられ、それを駆動する神経系は中脳に端を発する「Ａ10ドーパミン神経系」で、報酬系として知られ、欲求が充足されたときの快感を引き起こすもとになる。わたしはこのＡ10ドーパミン神経系に注目し、とくにその神経系が脳幹や大脳辺縁系に投射するだけでなく、大脳皮質の前頭葉や頭頂葉にも広く投射しているところに興味をもったわけである。脳幹や大脳辺縁系レベルでの本能的欲望の充足にドーパミン報酬系が関係しているとなると、大脳皮質に関与するドーパミン報酬系によってもたらされるものは一体何か、という疑問である。

前頭葉や頭頂葉などの機能に関しては研究が進んできているが、まだ不明な点が多く残されている。ただ、そうした領域はゴリラやオランウータン・チンパンジーなどの霊長類と比べても、人間においてよく発達している脳部位である。また、その領域の連合野は脳の発達過程で実にゆっくりと時間をかけて発達する領域といわれる。前頭葉や頭頂葉が障害されると、計画性・自主性・判断力・創造性など、いわばその人を特徴づけている人間性の基本的な部分が欠落してくる。こうしたことを総合して考えると、前頭葉や頭頂葉などの大脳皮質は、脳研究のパイオニアである時実利彦先生が提唱したように、「より創造的に人間らしく生きていく」ことに関係している脳中枢ということができる。

もしそうだとすれば、大脳皮質へも投射するドーパミン報酬系は「より創造的に人間らしく生きていく」ことにも関与しているのではないかと想像できる。すなわち、「創造的に生きたい」という欲求や「個性的に生きたい」という欲求を「人間的欲望」や「精神的欲望」と言い換えるならば、動物的本能の充足とともに人間的・精神的欲望の充足にもドーパミン報酬系は関係していることになる。

そこで、わたしは脳内ドーパミン含有量や産生量がホメオスタシスのもとに一定量にコントロールされているという仮定を立ててみた。そうすると、もし本能的欲望の充足に執着しすぎると大脳辺縁系で分泌されるドーパミンが多くなり、相対的に大脳皮質で分泌されるドーパミンは減少してしまうことになる。逆に、本能的欲望に対して「少欲知足」の立場を維持すれば、大脳皮質において人間的・精神的欲望の充足に使用されるドーパミンが多くなり、「わからないことが分かった」ときや「誰も考えたことがなかったようなアイデアを思いついた」ときの歓びを起こしやすくさせるのではないか。また、友人と心が通じたときの共感や共在の歓びを知ることにもなるかもしれない。一度その歓びを味わうと、「パブロフの犬」のようにさらなる歓びを求める行動が発動されるのではないか。それは、さまざまな新しい刺激とドーパミン分泌とが組み合わされた条件反射の形成を促し、最終的に人間の成長に連動するのではないかと考えられる。したがって、「神経生理学的少欲知足論」の結論として、「本能的欲望（煩悩）に対して少欲知足で臨めば、人間的・精神的欲望の充足（菩提）が得られる」ということが導かれる。

以上のような、わたしの「神経生理学的少欲知足論」をインドの科学者たちは理解してくれた。そして、「それを実現するための、本能的欲望をコントロールするための方法は？」と鋭い質問も浴びせてくれた。たしかに「本能的欲望を抑制せよ」と言われてすぐ従う人はいない。「抑制すればこうしたメリットがある」と言われなければ、なかなか前へ進まない。仏法の「煩悩即菩提」という理念がこのことを言い当てていると思ったが、わたしにはこの中の〝即〟の意味や方法に思いが至っていなかった。したがって、その時点では、まだ回答できない状態であった。どうしたら人間的・精神的欲望の充足の方向へモチベーションを高められるのか。ベートーベンが叫んだように、いかにして「Durch Leiden Freude!（苦悩を突き抜けて歓喜へ）」の境界へ到達できるのか、暗中模索状態であったわけである。

そこへヒントを与えてくれたのが病床の「母の涙」だった。すでに述べたように、母はクモ膜下出血で倒れた。手術後順調に回復し、リハビリも受けられるようになっていた。わたしは頻繁に見舞いに通いながら、病床の母にいろいろな思い出話をした。母が高崎で幼稚園の先生をしていたとき、給料日には決まってケーキを買ってきてくれた。その話をしていたとき思いついたのである。

ここにケーキが1個あり、自分を含めて子どもが3人いたとする。自分だけで1個食べれば食欲は満足する。しかし、物ほしそうな2人の目を気にすると、その美味しさはどこかへ消えてしまう。ケーキ1個を三等分して分ければ、自分の食べる量は3分の1に減るが、3人でかわす瞳の中に美味しいという歓びが伝わる。これはまさに、食欲という本能的欲望に対して「少欲知足」で臨むならば、人間的・精神的欲望の充足が期待できるという格好の例ではないか。本能的欲望から人間的・精神的欲望への転回には、自分だけでは不可能で、他者の存在が必要なのである、と気づいた。そのとき母の顔を見たら、一筋の涙が運ばれていた。不思議な経験であったが、2002年から温めていた難問に対して2013年になって光明らしきものが射したので、思わず「わかったよ」と叫んでしまった。

仏法における代表的な欲望論である「少欲知足論」と「煩悩即菩提論」が以上のような「神経生理学的少欲知足論」で統一できるかどうか、また「ミトコンドリア活性化論」も絡むと思われるので、今後さらに考察を深めなければならない。

2019年11月30日(土)

久しぶりの晴天続きであるが、日中の気温が10度以下で真冬並みである。朝早く、久しぶりに右脚が攣った。痛みと苦闘しながら、牛乳の飲みが足りないなどと例のごとく推測だけが頭をめぐる。何とか1時間ほどでおさまり(?)、いつしか2度寝に入り、起きたのは7時半だった。こう寒いと外出する気力もなく、石油ストーブとホットカーペットで暖を取りながら、時代劇チャンネルで『遠山の金さん』や『三匹が斬る!』を楽しんでいる。

安倍総理主催の「桜を見る会」に暴力団関係者が招待されていたと暴露され、トップの政治家や官僚が大慌てである。結局は闇へ葬られることが予想されるが、その点、勧善懲悪の時代劇はスカッとさせてくれるのでストレスがたまることがない。

昨日、中曽根康弘元総理（1982－1987年在職：1806日）が死去した。101歳だった。前にもふれたが高崎高校の先輩であり、同校出身の福田赳夫元総理（1976－1978年在職：714日）に遅れること7年、自民党の保守傍流から首相になった人であった。アメリカのレーガン大統領と「ロン－ヤス」と呼び合う仲であったとか、サミットのとき中央に陣取ったことなど、やたらとそのスタンドプレーが話題に上る人であった。わたしの高校時代、「翠巒祭」に来て「世界へ出て行くためには、これからは英語ができないといけない」と流暢な講演をしていたことを記憶している。わたしは福田総理が群馬町から徒歩で通い、3年間無遅刻無欠席であったこと、3年間学年1位の成績を取り続けたこと、現役で東大・文1合格をなしたこと、法学部を首席で卒業し大蔵省主計局に配属されたことなどを知人から聞いて知っていたので、中曽根総理の方が見劣りすると思っていた。しかし、実際の総理時代の業績において中曽根総理の方を評価する声が多く、数々の国営企業の民営化など行財政改革に辣腕をふるった。彼がバブル経済へ舵を切ったように思えるが、民営化の割には国の赤字が増え始めたのも事実である。それが積もりに積もって、現在では１０００兆円を優に超えているのである。逝去にともない『中曽根研究』なる著書が出版され、その赤字の仕組みが解明されることを願いたい。

2019年12月1日(日)

はや師走である。今日も陽は射しているのであるが、やたらと寒い。したがってデスクワークとなる。本年末までには原稿枚数を整え、来春の『自然死への歩み①』の発刊へ準備を進めていきたい。ポックリ逝かなければ何とか達成できるだろう。両脚痛や脚の攣れが気になるところだが、食欲は旺盛で、最近「瑞穂モール」にある中国料理店「茉莉花」の「八宝菜定食」にはまっていて週1回は食している。八宝菜は美味しいし、スープそしてご飯が極上である。それで７８０円であるから嬉しいかぎりで、思わず「御馳走さまです」と感謝の心が溢れてしまう。

昨日冬用のタイヤに交換したので、乗り心地を確かめようと今日は日帰りで群馬行きである。無性に「鍋焼きうどん」が食べたくなったので、細野姉やＴＫ夫妻とランチを一緒にすることにした。３人をピックアップして11時半には和食「一兆」に着き、予約なしだが待つことなく席に着けた。群馬は小麦の産地なので「うどん」が旨く、いい鍋焼きを食することができた。高速を使って2時間かけて行った甲斐があったというものである。帰路は渋滞にはまり3時間かかったが。ニュースで驚いたが、関越で逆走による正面衝突事故があり、80歳の運転者が死亡したとのこと。衝突された方もご夫婦が重傷を負ったとのことである。そのそばを通っていたことになる。本当に高齢者の運転は社会問題化しつつあるが、わたしもその域に達しつつあるので気をつけなければならない。

ハリアーの運転は楽なのだが、さすがに疲れ切ってしまった。夕食は上里PAで購入したメンチカツコッペやカレーパンやカツサンドとコーンポタージュですませた。そのまま仮眠のつもりが本眠になってしまった。すでに退官したのだから「師走」しなくてよいのだが、長年のクセか、かなりの強行軍であった。2019年もあと30日、時の経つのは本当に早いものである。

2019年12月2日(月)

年末の大掃除の前に物置を整理していたら、月刊誌『潮』の「波音」欄に掲載されたものが見つかったので、ここに再掲しておきたい。バンクーバー時代のものも含まれるので、この著書でふれてきたわたしの発想の原点だったことが理解してもらえるのではないかと思う。

科学者の顔（1993年11月号）

21世紀を目前にひかえて、今世紀を「科学の世紀」と指摘する人が多い。たしかに、その前半は相対論や量子論に代表されるように物理学や化学が隆盛し、後半は主役の座が分子生物学に移ったものの、科学の発展はとどまるところを知らないかのような勢いではある。

しかし、その一方で、若者の〝科学ばなれ〟を指摘する向きも強い。基礎科学研究の後継者が少なくなっているという問題である。その理由に関する議論の中で、わたしが面白いと思ったことは、「科学している人が楽しそうでない！」という若い学生の声であった。

わたしも科学者のはしくれと自認しているのだが、しげしげと鏡に映る顔をしばし眺めて、「おまえ、いま、楽しい？」と自問してみると、「眉間のシワを見ればわかるだろう」が自答であった。わたしはまだ50歳には達していないので、自分の顔にそれほど責任を感じる必要はないかもしれない。しかし、顔のシワや表情と生活の快・不快度とが生理学的にも多少関係するとされるので、うかうかできない。学生が科学者の瞬間的な表情から、科学者の結構長い期間にわたる生活の傾向性を見抜いているようで、〝もの言わぬ〟現代学生の感性の鋭さに驚かされた次第である。

昨年の日本生命倫理学会に参加したとき、元京都大学総長の岡本道雄氏の示唆深い講演を聴いた。近代科学の発展過程を三期に分けての、科学者と宗教とのかかわりに関する内容であった。「第一期は科学革命の時代であり、この時代を象徴する科学者がコペルニクス、ガリレイ、ケプラー、ニュートンである。基本的に彼らはキリスト教信仰者であり、なかには異端視された人もいたが、彼らの心の中には神の摂理を証明しようとする意識が明確にあった。第二の時代は今世紀の前半であり、アインシュタインをはじめとしてキラ星のごとく科学者が輩出した。彼らも、例えばハイゼンベルクの『部分と全体』で紹介されるパウリやディラックとの対話のように、単に量子論を議論するだけでなく、精神や心、一元論や二元論といった問題から神の存在までを赤裸々に論じている。第三の時代である現代は、分子生物学を中心として科学および技術はますます先端化し、かつ一体化している。その科学・技術が生命の誕生や病気・死というような我々の生命そのものに迫っているにもかかわらず、ほとんどの科学者の間では哲学や宗教が論じられていない」（趣意）と指摘していた。

そして、論じるべき宗教として、そのとき大乗仏教とロシア正教をあげたのであるが、来るべき世紀を「生命科学の時代」とともに「宗教の時代」と予測しているようで、岡本氏の洞察に深く共感したことを記憶している。

「信ずることは、我々の行いの内で、最も精神的なものである」とはバートランド・ラッセルの言葉である。マハトマ・ガンジーは「Science without humanity（人間性なき科学）」を「Seven Social Sins（七つの社会的罪）」の一つに数えた。

心や精神という領域に踏み込みつつある科学者が、人間性の基幹をなす信仰や宗教を軽視しているとすれば、その本質に到達することは不可能ではないか。岡本氏が言うように、信仰や宗教と真摯に対峙することを通して、科学者自身の精神性・人間性が深まるのかもしれない。それなくしては「科学的な心や精神」と「科学者の心や精神」とが不協和音を生じるに違いない。いや、すでに不協和音は生じているのかもしれない。感性豊かな学生が指摘した、科学者の「楽しそうでない」顔の歪みはそのことを物語っている、とは少々言い過ぎであろうか。

バンクーバーの住環境（1994年8月号）

幸いにも大学の「在外研究」で、この4月より1年間、カナダのバンクーバーに滞在することになった。今まで長期にわたって海外生活を経験したことのないわたしにとって、40代でその機会を得たことは実にありがたいものだと思っている。「留学」といえば大学院修了後（したがって20代後半から30代前半）というのが一般的だろうが、わたしのように熟年に達してからの場合も決してわるくはない。文化や歴史など研究以外のことも何かと比較して考える余裕が出てくるので、むしろ後者の方がよいかもしれない。しかし、語学力だけは如何ともしがたく、若いときの未修得を悔いるばかりである。

バンクーバーに到着して、いろいろな人にお世話になりながら住居さがしをした。「Realty Estate（〝究極の住宅〟とでも訳すのだろうか？）」という表現を目にしたが、わたしにはすべてがそう思えた。こちらでは子供の数プラス1が寝室の数というのが常識で、6人家族でありながら2～3LDKを希望していたわたしには、オーナーからの許可がなかなか取れず苦労した。しかし決まってみると、いわゆる敷金や礼金というものがなく、そうした苦労も吹きとんでしまった。

しかもセントラルヒーティングで、冷蔵庫、電気調理台、食器洗い機、洗濯機、乾燥機が完備しているので、寝具さえあればすぐにも生活ができる状態であった。3LDKにベースメント(もう一つの居間のようなスペース:ホームステイなど他の人とシェアする場合が多い)、そしてガレージと広い庭がついていて、月額賃貸料が1125カナダドル(約8万円)というのは実にうれしい値段である(しかし、現地で働いている人の平均月給が2000〜3000カナダドルということだから、単純に喜べる問題ではない)。

ただ、こうした快適な住環境を維持

バンクーバーでの借家

していくのには、さぞかし高い費用がかかるかと予想された。電気・ガス・水道の最初の請求書を見るのに多少の恐怖感を覚えたが、何とそれは月額100カナダドルに満たないものであった。すべてを東京と比較するのはよくないと思いながら、頭の中で計算が勝手に進み、結果、カナダ国ブリティッシュ・コロンビア州バンクーバー市をひたすら尊敬してしまうのである。

もう一つ、広い芝の庭についてである。アパート育ちのわたしにとって夢のような「庭」を見ながら、これこそ家と庭で「家庭」だなどと、子供たちにも馬鹿にされるような冗談をとばしていた。時にそこでキャッチボールをしたり、時に木陰で読書をしたりと、それが普通にできることにやはり感動してしまうわけである。ただ、芝も植物だということを痛感した。春から夏にかけてよく生長するのである。1週間も芝刈りをしなければ大変なことになる。加えて、ここでは住環境を美しく保つのは住民の責任という意識が徹底しているので、やらないわけにはいかない。したがって、土曜日が完全に休日であることを利用して、運動もかねて芝刈りに汗を流している次第である。

住環境に関連して、交通機関のことにふれてみたい。バンクーバーはやはり「車」社会である。通勤や通学など、ほとんどがバスと車である。バスに乗ってみると、決まった時間内ならば何回でも乗り降り自由で、しかも料金は一律1・5カナダドルである。しかし、本数がそう多くはないので、いつも利用するとなると大変かもしれない。

わたしも利用したのは最初だけであった。すぐに中古車を購入して、もっぱら車で動いている。ガソリンが1リットル約50セント（ときどき変動する）ということも信じられないことで、満タンにしても20カナダドルでおつりがくるのであるから、お金を払いながらも心からThank you!と言ってしまう。

そこで、発見したことがある。購入した中古車はクライスラー社の1982年式リライアントという2500ccのステーションワゴンであるが、計算してみたら、レギュラーガソリン1リットル当たり10km走るのである。東京にいたときは三菱の1992年式シャリオ（2000cc）に乗っていたが、たしか1リットルで8kmほどであったと記憶している。エンジンの容量を考慮して比較すると、およそ1・5倍の違いがある。

この違いはいったい何によるのか、いろいろ考えてみた。リライアントのエンジンが優れているのか、カナダのガソリンがよりよいのかなどなど。最も合理的だと引き出したわたしの結論は、渋滞の少ないことという点であった。渋滞による停止や発進の繰り返しが、ガソリンの無駄遣いに関係しているのだということである。それがないということは、エネルギー的にみても有効であるだけでなく、運転者の気分にも余裕を与えてくれることを感じている。逆に、東京での渋滞状況を考えると、そのエネルギー浪費の膨大さに驚くばかりである。

ともかく、カナダ人にとってもバンクーバーは理想的な場所だそうであるが、ここで生活、そして研究できることに感謝しながら、またお便りしたい。

「食」への安心（1995年5月号）

バンクーバーでの生活もあっという間に1年が経過して、後ろ髪をひかれる思いでもう帰国の準備である。

到着した頃は春到来の季節で、日本より一足早い桜の開花に驚き、それに続く季節はまさに素晴らしい陽光輝く夏で、それを楽しむ人々の姿に呆然としながら感動したのを思い出す。あざやかなメープルリーフの色彩の変化とともに秋を感じ、そしてただただ曇天と雨の多い冬も経験することができた。7月のノルウェーを訪れて帰国したとき、先輩が「北欧の冬を経験してみないと、ムンクの絵は理解できない」といっていたが、北の国カナダのバンクーバーの冬を経験しながらその意味が少し分かるような気がしてきた。

そんな季節の、とくに長い夜の最大の関心事は「食」であった（別に長くなくても、6人家族のわが家の関心が「食」であったことは間違いないのであるが）。

とにかく人種のルツボといわれる場所は食材が豊富であると聞いてはいたが、まさかこれほどとは思っていなかった。カナダは難民や移民の受け入れ国として有名であり、とくにここバンクーバーにはヨーロッパ・東アジアはもとより、インドや中東からの移民も多い。したがって、中華料理からインド料理、イタリア料理、メキシコ料理、そしてカナディアン料理と本当に「食」が豊富である。当然マーケットへ行けば、それらの料理の食材がすべて揃っている。来たての頃、知人に〝セーブ・オン〟というマーケットを案内してもらったとき、体育館のような広さと、倉庫のように堆く積まれた食材に圧倒されたことを昨日のように覚えている。「飽食の時代」と叫ばれていた日本から来ての衝撃だったので、相当なものであった。

以来、週1回の文字どおり「買い出し」が仕事となった。それは本当に肉体的に疲労を覚えるほどの仕事だったのである。最初はとにかく勝手がわからなかったせいもあるが、選ぶことが大変なくらい、一つの食材に対してその種類が豊富なためであると思った。しかし、慣れるにしたがい、それらをじっくり吟味しながら自分で選ぶことが楽しみのようにもなっていた。

例えば、野菜がこれほど生で食べておいしいものだとは気づかなかった。ピーマンがそうであり、カリフラワー、ブロッコリーがそうである。新鮮さはいうに及ばず、その味といい、歯ごたえといい、申し分のないものである。もちろん人により好みというものがあるから一概にはいえないだろうが、そのままでは無理だという人には、これまた豊富なドレッシングを気分にしたがって選べばよい。

果物にもはっきりいって驚かされた。その量、種類はともかくとして、メロン

バンクーバーでわたしがつくったカリフォルニア・ロール

やブドウなど明らかに高級品ではなく、食べるためにあるという意味においてである。日本でのわが家の日常を暴露するわけではないが、思い切って買ったブドウを一つ一つ皮をむきながら、これまた思い切って口に入れ、ひと時もふた時もその味を十分に楽しんでいたことが嘘のようである。ほとんどが種なしブドウで、今週はこれにしようなどと買ってきて、食後に洗ったらすぐ、パクパクそのまま食べるのである。実に甘く「食後の血糖値をグンと押し上げているな」などと想像しながら、平らげてしまう快感はやみつきになりそうである。

そして、パンである。カナダが世界的な小麦の産地とは知っていたが、その小麦をもとにしてつくる食パンの何と豊富なことか。米を主食とするわが国がその純粋性の究極を追い求めるように努力しているのとは対照的に、パンを主食とするカナダでは、他のものと混ぜることによって、どれほどの多様性を生み出せるかに挑戦しているかのようで、興味深いものがある。わが家で最も人気の高いのはチーズパンで、このトーストにメープルシロップの組み合わせは最高である（ずいぶんと甘党のような表現が続いてしまったが、実際、甘党になってしまったようである）。

こうした例はほんの一部で、「食」や「食材」については切りがないが、そうしたことはバンクーバーだからこそいえるのかもしれないし、経験の少ないわたしだからこそ驚いてしまうのかもしれない。また何より、円高による価格差をもととして考えてしまうからなのかもしれない。

しかし、久しく忘れていた「食」への安心感を抱いているのは事実である。それは多分、食物が安全であること（品質を自分の手でふれて確かめられる。したがって過剰な包装が少ないのでゴミの量も少ない！）や、価格が合理的であること（たとえば大学生の昼食は5カナダドル前後）などによるものだろう。大学の食堂やレストランの食事においても、「食」への尽きない興味はあっても、不安や心配がほとんどないことは嬉しいかぎりである。

「カナダは農業立国」といってしまえばそれまでであるが、「食」への安心感は個人を支える大切な基盤であり、心配そうな顔で「飽食」などといっている日本が学ばなければならないことだと思う。世界には、日本が模倣すべき優れたところが、まだまだたくさんあるに違いない。

「美しい日本」はどこへ？（1998年10月号）

川端康成が「ノーベル文学賞」を受賞したのは1968年で、ちょうど今から30年前のことであったが、その受賞講演のテーマが「美しい日本の私」であったと記憶している。大学紛争真っ只中のその時代、入学式もなく大学1年生になったわたしの脳裏には、なぜだか埃っぽい街やキャンパスのイメージがこびりついている。しかし、街にはまだまだ空き地や緑地が存在し、一歩郊外へ出向けば「美しい日本」の光景があったように思われる。

それからどうして、これほどまでに「美しくない日本」に変わってしまったのか、本当に驚きである。自然環境や街並みしかり、人々の姿勢や歩き方、そしてことばづかいまで、とても「美しい」といえるものではなくなっている。実を言うと、わたし自身、近年までその変容に気づかなかったのであるが、オスロを訪れ、バンクーバーで生活し、サンディエゴ、サンフランシスコと旅してみると、「絵になる風景」と「絵にしたくない風景」、「凛として爽やか」と「漠として邪」という対比になってしまっている。

わたしの体験で恐縮するが、昨年7月「第22回国際てんかん学会議」に参加するため、アイルランドのダブリンを訪れた。「アイルランドのような田舎へ行こう……」と歌われたイメージ通りの田園が広がり、歴史と伝統の風格をそなえた街と、実に見事な調和を感じさせてくれた。Dart Trainに乗り、沿線の町や住宅や公園に見入りながら、人工と自然がやさしくとけ合うようすに心は魅入られていたが、Howth（北の終着駅）の浜辺に立ったとき、バンクーバーで啓示された「自然の中で人になる」との思いが再び甦り、感極まって泪溢れてしまった。

対して、成田からリムジンバスに乗って立川に戻るときは、やたら多いけばけばしい看板やネオンサイン、電柱や電線やテレビアンテナ、そして必ずといってよいほどある空缶やゴミ屑、そうしたものにあたるわけではないが、なぜだか憤激の涙が出そうになった。

バブル崩壊後、さまざまな問題が次から次へと膿のごとく溢れ出てきている。政・官・財界、そして教育界……。汚職あり、脅迫あり、殺人あり、自殺あり、不倫あり……。マスコミにとっては話題に事欠かない状況であろうが、われわれ国民にしてみれば呆れてものもいえない状況である。「世紀末現象」などとあたかも世界共通の問題にすり替えてしまったら、それこそ諸外国の笑いの種になるだろう。

１９９０年の８月にインドを訪れ、ニューデリーのラージガードでマハトマ・ガンジーが１９２５年に警告した「SEVEN SOCIAL SINS（７つの社会的罪）」を知った。

1　POLITICS WITHOUT PRINCIPLES（原理なき政治）

サンディエゴのヨットハーバー

アイルランド・ダブリンのストリート・パフォーマー

2　WEALTH WITHOUT WORK（労働なき富）
3　PLEASURE WITHOUT CONSCIENCE（良心なき快楽）
4　KNOWLEDGE WITHOUT CHARACTER（品格なき知識）
5　COMMERCE WITHOUT MORALITY（倫理なき商業）
6　SCIENCE WITHOUT HUMANITY（人間性なき科学）
7　WORSHIP WITHOUT SACRIFICE（犠牲なき礼拝）

という指摘である。わが国の現状を見るとき、まさにすべてが当てはまるように思えてならない。「社会的罪」が横行する中にあって、どうしたらそれらを乗り越え、「社会的徳」の溢れる状況に変えていくことができるのだろうか。わたしにも確信ある答えがあるわけではないし、また性急に答えを求められるような問題でもない。

しかし、ストレスに直面したときの心理学的なキャッチフレーズ「stop（立ち止まる）—look（内外を見つめる）—aware（気づきが行われる）—choose（選択する）—grow（成長する）」を考慮すると、少なくとも今というときは「立ち止まって」「よく見つめる」時期ではないだろうか。戦後50年、ただただ遮二無二猪突猛進してきたのだから、ここは「しばらく休みなさい」との計らいかもしれない（休んでしまうと食べられなくなるという不安感、この底流にある強迫観念を拭うことこそが肝心なのであるが……)。

「気づき」が行われるかどうかは今は期待せず、それこそ自然に任せるべきであろう。自然に任せるためには、自然にひたるしかない。わたしの経験、そして感性が少しでも普遍的なものに通じているとするならば、自然にひたったとき、必ず何かを発見するのではないかと思う。忙しすぎて見落としてきてしまったその何かこそ、自然の、そして生命の輝きや美しさであり、それによってこれほどまでに心が共鳴し和むのかという発見であるに違いない。

インド・ガンジス川と沈む夕日

2019年12月4日㈬

昨晩、敦子のもとへ「OF様」宛で贈った「米沢牛」が「謗法の供養は受けぬ」とばかり送り返されてきた。わたしも女々しいところがあって、お歳暮だから皆で焼き肉を楽しんでくれればとの軽い気持ちからだった。対抗するかのように、敦子の一貫した強信者ぶりは全く不変である。こうなると「狂信者」の部類になってしまったのかと、その精神性の異常さに驚くばかりである。子どもたちも「それならうちらで食べればいい」と呆れるやら喜ぶやらで、断絶への道を推奨するくらいである。

日蓮仏法には、大聖人が時の権力者や為政者を諫暁したように、時代や社会状況が変わっても大聖人の振る舞いどおり行動を律しようとする原理主義をはらんでいるように思われる。わたしはあまり詳しく知らないが、満州事変や太平洋戦争を指導した石原莞爾や北一輝も日蓮仏法の信奉者と聞く。したがって、創価学会の草創期において「邪宗や敵と戦う」折伏が強行されたのも、その類型であるのかもしれない。しかし、日蓮大聖人の振る舞いには、一方で権力者に対峙するときは凄まじい勢いで攻め続けるものの、他方で弟子たちに対するときは慈父のような振る舞いが数々の消息文から読み取れる。牧口初代会長の振る舞いはわからないが、戸田第2代会長は父の話によれば豪放磊落で怖さもあったが屈託もなかったということである。池田先生の場合は、直接その指導を受けた機会は少ないのであるが、ほとんどがユーモアあふれる振る舞いであった。ただ中枢幹部や公明党幹部に対しては烈火のごとく糾弾することもあったと聞いている。とくに戦いで敗れた場合は、「前線は一生懸命頑張っているのに、指揮を執る幹部にこそ油断があった」と責任を徹底的に追及することもあったという。

敦子が言うように、「徹底的に悪を攻め続ける」ことが日蓮仏法の神髄であり、池田先生の弟子にふさわしい振る舞いなのだろうか。そもそも現代社会にあって「悪とは何か?」、そして「悪とは誰か?」ということが不明である。それは、義兄OTが「創価学会本部と創価大学は魔の巣窟だ」というように、本部や大学の幹部であり、大聖人の仏法また池田先生の指導どおりに「悪を攻める戦いをしない」人たちのことであると断定できるのか。「いったい誰で、何時の行い」を指すのかという点を具体的に言ってほしいといっても、ノーコメントなのである。そうした論争(?)が続いて、もうじき8年になろうとしている。

時が流れても一向に変わらない敦子の信心の姿勢には尊敬に値するところもあるのだが、しかし、今回の一件にはほとほと疲れてしまった。温泉にでもつかりたいと思っているところへ、群馬学生部時代の懇親会が小野上温泉で12月8~9日に行われる知らせが届いた。

どんなにかホッとしたことだろう。

アフガニスタンで医療活動や、最近では「100の診療所より1本の用水路」ということで農業用の用水路敷設工事を支援していた中村哲医師が銃撃に遭い死亡した。何ということであろうか。現地でも神の如き存在と親しまれていて、多くの人々がその死を悼んでいる。妻のNNさんは報道陣の取材に「いつも家にいてほしかったが、本人はこの仕事にかけていた。いつもサラッと帰ってきては、またサラッと出かけていく感じでした。こういうことはいつかありうるとは思っていたが、本当に悲しいばかりです」と話した、と報道されている。タリバンやイスラム国に属するのか不明であるが、4人前後の武装勢力であったと目撃証言がある。計画的襲撃という見方があるので、中村医師らの活動が理解されず、誤解されていた可能性もある。そうした状況で、テロに屈せず立ち向かってきた中村医師の強い意志に敬服するばかりである。合掌。

2019年12月7日(土)

FYさんからメールが届く。UCSFと正式な契約ができたとのこと。本当によかった。12月に帰国して、ビザ取得など必要な準備をして、3月には渡米するとのことであった。

その間、富良野でアルバイトをすることもあり、再会は2月上旬になりそうである。木暮研初の海外でのポスドクだから、盛大にお祝いをしてあげたいと思う（TK君のジョージ・ワシントン大学ポスドクの例があったが、正式な契約というより研究費が続けばというもので、結局7カ月で帰国になってしまった。その後研究職をあきらめ、現在は沼津市役所職員になっている）。

昨日から下痢続きで調子が悪く、胃腸薬を飲んで早めに就寝したのであるが、彼女のメールで快方に向かったようだ。それだけでなく、敦子のお歳暮送り返しストレスを見事に乗り越えさせてくれた。自分に手に負えないことがあっても、どこからともなく諸天の加護がはたらく。増長してはならないが、「無量宝珠不求自得」の境界へ近づいているのか。ありがたいことである。

2019年12月9日(月)

昨日から1泊2日で群馬・中之条町の小野上温泉へ行ってきた。恒例の群馬学生部の研修会である。参加者はSH・KT・SK・NJ・S・K・ST・S・Iさん、そしてわたしの10名であった。池田大作先生指導集『人材の王国・群馬』の中の長編詩「山河にこだます歓びの歌声」を教材に、SH副会長が講義を担当してくれた。長編詩に盛り込まれてある群馬の広布史に即して、関連する『人間革命』や『指導集』の一節を引用しつつ展開されたので、一部わたしたちの記憶にも残っていることを発言でき、大変に有意義であった。

弱アルカリ性の温泉につかった後、夕食を共にし、その後も2時間ぐらい参加者の近況や友人・知人の状況を語り合うことができた。青春時代の活動ぶりが思い出されるとともに、それぞれと池田先生との出会いも聞くことができ、皆がその出会いを原点として広布の道を走ってきたことがよくわかった。わたしはむしろ群馬を出て創価大学へ赴任してからの体験などを語った。どうしても過去のことを語りはじめるとノスタルジーにひたりそうになるが、この仲間では不思議にもそれがなく、むしろ未来へ向かい師との約束をいかに果たしていくかという強い意志が感じられるので大いに刺激を受けた。「煩悩即菩提」に関連して述べたが、その転回に他者の存在が必要であるように、まさにありのままで語り合える同志の存在はありがたいと実感した。

今朝はせっかく近くまで来たので「八ッ場ダム」を見学した。まだ発電は始まっていないが、今回の大雨のとき大量の貯水ができたおかげで下流域の洪水が防止できたそうである。工事が始まり、民主党政権下で停止となり、その後再開され今日まで20年くらい経過した。仮の展望台からダムおよびダム湖の状況が一望でき、あと数年で一大観光地となるのではないかと思った。

帰りがてら、SH先輩の知り合いでイタリア修行のシェフがいる店でパスタを堪能した。わたしはシンプルなナポリタンに舌鼓を打った。SH・SK氏がシーフードパスタ、NJ氏がカルボナーラ、K氏はキノコと野菜のパスタで、どれもとっても美味しいとのことであった。心も胃腸も大満足の吾妻紀行であった。

2019年12月11日(水)

三男・信幸の誕生日で37歳になった。O情報専門学校を卒業して以来フリーターであったが、ここ10年程Y電機の非正規社員をしている。正規社員を勧めても一向に変わらない。いつでも辞められる方がいいのだという。小泉内閣の竹中平蔵氏のアイデアで非正規社員が導入されたが、すぐに取り換えが利くということで社員教育という長年のよい伝統が失われ、職場環境がギスギスしたものになっているらしい。「自民党をぶっ壊す」と息巻いた内閣だったが、「社会をぶっ壊す」結果となってしまった。中曽根政権といい、小泉政権、そして安倍政権と、長期政権は碌な結果を残してこなかった。「世界の平和」と「国民の幸福」というあまりにも自明な目標に向かって的確な施策を実行するのが政治家だと思うが、日蓮大聖人が喝破したように「わづかの小島のぬしら」（日蓮大聖人御書『種種御振舞御書』）を自覚することなく有頂天に上ったような政治屋になってしまう。困ったものである。渋沢栄一のような人物がなかなか出ないということは日本という国の福運が切れようとしているのか。

敦子から信幸に整髪剤やら化粧品がプレゼントされた。自分同様に信幸の薄毛を気にしてくれているのかもしれない。この辺は母親らしいところである。今回は贈り物にチョコボールがなく、皆で笑うことはできなかったが。

わたしからは現金と食事のプレゼントである。モールの「茉莉花」へ行き、「八宝菜定食」と「エビチリ定食」を味わわせた。「なかなか旨し」とメイン・スープ・ご飯に太鼓判を押していた。お店の人もいつもの注文なので、テキパキとすぐにアツアツのものを出してくれた。台湾出身なのか中国出身なのか不明だが、お店の人たちの笑顔が爽やかである。わたしとしては味からいっても台湾出身だと確信しているのだが。この次は聞いてみよう。夜は夜で寿司を奮発した。

国会閉幕で「桜を見る会」問題は迷宮入りの様相を呈している。全く説明責任を果たさないとは、何とも無責任な安倍総理である。一方、スペイン・マドリードで開催中のC

ＯＰ25（国連気候変動枠組条約第25回締約国会議：The 25th Conference of the Parties to the United Nations Framework Convention on Climate Change）において、わが国は石炭火力発電の抑制を迫られているにもかかわらず、ＫＳ環境相が明確な方向性を示せなかったので、不名誉な「化石賞」の受賞となった。こういう時こそ持ち前のスタンドプレーを発揮すればよいのに、結局政治屋は怖気づいてしまうのだろう。エネルギー問題で「化石賞」だが、リーダーシップを取れる人材も〝化石化〟している。

２０１９年12月15日㈰

本年もあと半月！　両脚痛の症状はあまり変わりなく年越しとなりそうだ。それにしても寒い日が続いていて、石油ストーブとホットカーペットに頼りっぱなしである。昔は炬燵なるものの出番で、暖を取りながらミカンを楽しんだものである。

今朝6時に起きてＢＳ放送を見たら、野茂英雄投手の最初のノーヒット・ノーラン試合の録画放映であった。１９９６年のドジャーズ時代のものである。２００1年のレッドソックス時代にも2回目を記録しているので、いまさらながらすごい投手だったと感心してしまった。野茂投手の前にも村上雅則投手がいたが、実質的なパイオニアは野茂氏で、メジャーリーガーへの道を拓いたといってよい。彼の大活躍があったればこそ、イチロー選手や松井選手の活躍が生まれ、そして現代の大谷選手らへと続く流れができたのだと思う。

野茂投手はインタビュー嫌いで有名だったが、わたしにとって忘れられないシーンがある。渡米した直後の1995年から活躍が目立ち始め、トルネード投法といい、フォークボールでの奪三振といい、まさに喝采ものの連続であった。それらを記事にしようと日本のスポーツ紙の記者が駆けつけ、「メジャーの野球はどうですか?」とインタビューしたときのことである。照れ笑いしながら野茂氏が「楽しいです」と言ったとき、記者が怪訝な顔をして「どういうことですか?」と聞き返したとたん野茂氏の顔色がサッと変わり、以後何も答えなくなってしまった。わたしは1994年にバンクーバー生活をしていたので、「楽しい」といった野茂氏の心境がよくわかった。「楽しい」から「楽しい」と言ったまでで、それ以上の説明は不要である。それを求めるのは「楽しさ」を実感していない人なのである。バブルがはじけてもなお外見上享楽にふけっている日本人の多くが真の楽しさを味わっていない人生を生きている、ということを露呈する一幕とわたしには思われたのである。

野茂氏の感じた「楽しさ」は大谷選手の笑顔に脈々と受け継がれていると思う。本当に来年度の二刀流・大谷の活躍が楽しみである。そして大谷に続くであろう、ドラフトで日本ハムに指名された佐々木投手やヤクルトに指名された奥川投手の活躍にも期待したい。

2019年12月18日(水)

昨日は寒いといっていたが今日は暖かく冬を忘れる。それにしても気温差が大きく、体調管理が追いつかない。暖かいと両脚痛が和らぐので、逆に両脚痛が気温変動のバロメーターになっている。

YAさんからお歳暮が届く。卒業してすでに5年が経過しているにもかかわらず、毎年お中元とお歳暮の心遣いが続いている。卒研は他研究室だったが、進路相談で「U出版社」を紹介したところ、持ち前の素直さと真面目さが印象的だったのか採用を勝ち取った。そのことを忘れないでいてくれるのはありがたいが、気を遣わせてはいないかと心配になる。かといって途絶えるのも淋しいので複雑である。わたしが創価大学に30年間在職して、最も聡明な、かつ品格をそなえた女子学生であったからである。ともかく返礼と「さらなるジャーナリストとしての活躍を!」とメールを送った。嬉しいかぎりである。

2019年12月22日(日)

昨晩はYTさんと一緒に、秋川キララホールで行われた創価大学新世紀管弦楽団の第51回定期演奏会に参加した。久しぶりに生のオーケストラ演奏を聴き、退官以来仮面うつ病状態にあったわたしの心が沸き立った。やはり音楽や芸術は精神を「四聖」の境界へ誘うものであると実感した。プログラムは、シベリウスの交響詩『フィンランディア』から始まり、チャイコフスキーの幻想序曲『ロミオとジュリエット』に続き、最後は圧巻のチャイコフスキーの『交響曲第5番』で締めくくられた。北の大地の厳しい自然環境や人々を苦しめてきた圧政が重厚な曲調で表現され、それらを乗り越える人間の魂の戦いや苦悩から解放された歓喜の姿が凄まじい協和音として脳に響いた。まさにベートーベンの「苦悩を突き抜けて歓喜へ」に通じるものと感動した。YTさんから指揮者が理工学部の学生であることを教えられ、そのプロフィールを見たところ、さまざまな音楽家に師事してきたことが記されてあった。科学と音楽に通じる才能豊かな人材が出てきたとは驚きであった。

今晩はYTグループの忘年会であった。八王子の「徳樹庵」という居酒屋にK・O・KN・YT・S・RB・YB・F・NM・木暮の10人が参集し、3時間ほど語り合った。個室だったが、隣が実にうるさく、話が通らなかったのは残念であった。各人が近況を含めて報告したので、皆元気で活躍されていることがわかり、有意義であった。わたしは『自然死への歩み』の執筆状況を話し、「自然死」や「出世の本懐」やら、話題を提供することができた。退職した人は読書や旅行三昧の生活を送っていたり、地域の環境問題や歴史問題に取り組んでいたりして、それぞれが人生の最終章を飾るにふさわしい生き方を模索していることが感じられた。ゴマキムチ鍋が合わなかったのか、途中2回もトイレに行くことになり、NM医師には心配をかけた。2次会には参加せず、氷雨が降る中、八高線で箱根ヶ崎へ、そして信幸の車で帰宅した。10時を回っていて日曜日でもあったせいかタクシーが全く来ず、信幸には感謝である。

2019年12月26日(木)

YTグループ忘年会で、出席者のFさんから「どの宗教も時の経過とともに分派が出現するのはどうしてですかね。それによって教祖や宗祖の教説が多様に解釈されるのはよいが、真実が何なのかがわからなくなってしまう。分派出現に対して大脳生理学的視点から説明できませんか」と質問された。その場ではゆっくり話すことができなかったので、ここで少し考察しておこう。

そもそも宗教を開いた教祖や宗祖はその教説の中に多くの人々にインパクトを与えられる「悟りの教や法」を内包させていたに違いない。言葉の上では理解できないものであったかもしれないが、始祖の教説だけでなく、その行動や情感に共鳴できるものがあったのだろう。法華経の「諸法実相」ということばが示しているとおり、まさに生活上の森羅万象は根本法をその発現の源とする。逆にいうと、実相が諸法を展開させると考えてもよい。したがって、教祖や宗祖はその実相を感得した人であるといえないだろうか。その言説をたよりに弟子たちも実相へ迫ろうとする。しかし、究極の実相へ迫ることができないとき、自分の理解をもとにその言説を解釈してしまい、それが分派を生む淵源となるのかもしれない。

それは宗教に限ったことでなく、音楽や芸術、また科学の領域にもあてはまるだろう。例えばバッハから古典派が発展し、モーツァルトやベートーベンという創造的な音楽家が素晴らしい作品を残した。絵画における印象派などの誕生も同様に考えていいのではないだろうか。神経生理学の分野においても同様で、例えばオックスフォード大学のシェリントン（Sir Charles Scott Sherrington, １８５７－１９５２：１９３２年ノーベル生理学・医学賞）のもと研究したホジキン（Sir Alan Lloyd Hodgkin, １９１４－１９９８：１９６３年ノーベル生理学・医学賞）とハックスレー（Andrew Fielding Huxley, １９１７

―2012：1963年ノーベル生理学・医学賞）、そこへオーストラリアから留学していたエックルス（John Carew Eccles, 1903―1997：1963年ノーベル生理学・医学賞）など、皆がノーベル賞を受賞するほど高いレベルの研究を行っていた。ちなみにキャンベラ大学のエックルスのもとに留学したのが日本における神経科学の第一人者・伊藤正男先生（1928―2018）であった。

われわれの脳にはとくに前頭葉や頭頂葉に「ミラーニューロン」が存在することが知られている。鏡に映った自分の顔や仕草を見て活性化するニューロン群であり、他者が同様な仕草をした時にも活性化する。あらかじめ神経回路ができていて、真似をしながら回路を変形させブラッシュアップさせるのか、真似できるように回路が形成されてくるのか、現在のところ定かでない。しかも対象者の脳がもつ回路と同じ回路が設計されているのか、変幻自在の回路が準備されているのか、こちらも定かでない。わたしはラフな回路は遺伝子レベルに描かれているとしても、いま流行のＡＩのように学習能力をもつ変幻自在の回路なのではないかと考えている。

したがって、始祖の言説や振る舞いを受け止めながら、弟子の脳では活発に新たな回路形成が行われつつ、始祖の拓いた実相に迫ろうとするのだろう。結果として類似の境界へ到達できる場合もあるかもしれないが、多くの場合「われ賢し」という「阿羅漢果」で終わってしまい、それこそが分派を生むことになるのだと思う。それは多様性を示すということになり、苦悩の解決への具体的ヒントを与えるかもしれない。しかし、実相の境界へ到達していないがゆえに、新たな苦悩を生み出してしまうのかもしれないのである。

わたしは原点が「ミラーニューロン」であるとすれば、そこに飛躍的なインパクトを与えられる超越した刺激が必要になると思う。「神経生理学的少欲知足論」のところで論じたように「煩悩即菩提」のカギを握るのは「他者の存在」であった。いまここで「生死（悩み）即涅槃（悟り）」を論じているわけだが、ここでも諸法から実相へ迫るためにも「他者の存在」が必要なのではないだろうか。すなわち、「菩提」や「涅槃」という実相を示した他者こそがわたしたちを「阿羅漢果」を突き抜けさせ、「菩薩界・仏界」へ誘導してくれるのだと思われる。まさに「文証・理証・現証」という「三証論」に関して、日蓮大聖人が「日蓮仏法をこころみるに道理と証文とには過ぎず、また道理証文よりも現証には過ぎず」（日蓮大聖人御書『三三蔵祈雨事』）というとおりである。「現証」を感得した人に出会えることは本当に運がいい人だと思うのである。

2019年12月30日(月)

年末の天候が心配で、昨日高崎へ行ってきた。お年賀とお年玉をもって細野宅・TK宅で雑談。SF君やHH君のところにインフル情報があったが、すっかり快復したとのことで安心した。とくにSYちゃんは高校受験をひかえ、年末年始に拍車をかけているとのことである。驚いたことに志望校を高崎女子高から前橋女子高へ変えたとのこと。群馬では前高・高高・桐高・前女だけが文科省のSSH(スーパー・サイエンス・ハイスクール)に選ばれた関係であるという。SYちゃんの医師を志望する信念の強さを見る思いであった。

しかし、そうした文科省の大学や高校のランキングや競争をあおる施策が、前にもふれた多摩大学の田坂教授の「日本の教育の2周遅れ説」を考慮すると、何だか踊らされているようで心配になってくる。北欧などを中心とする長期間にわたる科学的調査の結果、「競争は個人個人の幸福に結びつかない」という結論に到達し、「競争をあおる教育」を止め、「個人が幸福をつかむ教育法」の探索そして実施へ転換しているからである。「2周遅れ」という点が言いえて妙で、わが国ではその結論も理解していない点で1周、新しい教育法の実施も行われていない点でもう1周、合わせて2周遅れとなるわけである。

概して長期政権になると、国民からの安定した支持があると錯覚しやすく、よりよい施策の探求というダイナミズムを失ってしまうのかもしれない。それだけでなく、私利私欲の温床にもなる危険性をはらんでいる。昨今IR（Integrated Resort：カジノや劇場、ホテル、国際会議場、ショッピングセンターなどが一体となった施設）をめぐる贈収賄が騒がれているが、わけのわからないSSHやIRなど、横文字や省略語が出てきたときは注意しなくてはいけない。

2019年12月31日㈫

大晦日である。日本海側は猛吹雪だが、関東はポカポカ陽気である。この1年、令和元年になるなど変化に富む1年であったが、台風被害や洪水被害の大きな1年でもあった。明年のオリンピックに向けて新国立競技場をはじめとして各施設の完成が報じられ、勢いが出ている反面、消費増税による経済の低迷など暗い話題も多い。

そうした世相の中、若手アスリートの活躍が目立った1年でもあり、わたしは大いに勇気づけられた。ここにきて嬉しい吉報である。スキーのジャンプが始まっているが、小林陵侑選手の活躍がすごく、昨年のジャンプW杯での総合優勝の勢いが止まらない。すでに8戦中3勝をあげており、そのうちの1勝が昨日から始まったジャンプ週間・第1戦での勝利である。昨年のジャンプ週間で4戦全勝であったから、ジャンプ週間5連勝と過去最高記録に並んだ。あと1勝すれば、それは前人未到の記録となる。試合後のインタビューでも満面の笑顔で、全英オープンで優勝した渋野日向子さんのシンデレラ・スマイルを彷彿とさせる。何という爽やかさであろうか。両人ともにそれぞれのスポーツを楽しんでいることを感じさせる。今後も大いに期待しよう。若手の活躍は本当に老人の寿命を延ばす力があると実感している。

ここまでで『自然死への歩み①』が結ばれる。ということは、この1年何とか生き延びてきた証しである。多くの出会いもあり、多くの人に支えられ、勇気と感動をいただくことができた。感謝・感激の思いが溢れ、それがまた明年への飛翔のエネルギーとなる。何度も記してきたが、本当にわたしは運がいいと思う。

第1巻の最後に、わたしが考えている「がんへの向かい方」にふれておきたい。いろいろな分野の有名人が「がんと闘う」という宣言をして、その闘病の模様をインスタグラムに掲載したり、それがまた報道されたりしているからである。

わたしはこの闘病の対象としての「がん悪玉説」に違和感を覚えるのである。そもそもわたしたちの身体はおよそ60兆個の細胞から構成されている。1個の受精卵から始まり、2個、4個、8個と細胞分裂を重ねながら、次第に骨細胞や筋細胞、神経細胞とそれぞれの機能をもつ細胞へと分化していき、組織や器官ができあがってくるわけである。その間、細胞同士のコミュニケーションを通じて、見事なまでに統合された個体になるわけである。わたしたちの身体はそれぞれの細胞がそれぞれの役割を果たしながら、「いまを生きている」という状態を支えてくれているのである。したがって、がん細胞といえども自分を構成してきた細胞であり、がん化するまでは立派に働いていたのである。がん細胞の特徴やがん化のメカニズムについては完全解明されていないが、何かがきっかけとなり本来の役割を果たせない細胞へと変化し、周りの細胞環境とは無関係に細胞増殖したり、転移したりしてしまうのである。その結果、さまざまな症状が発現し、化学療法・放射線療法・外科的治療・免疫療法が行われることになる。現在のがん治療は、免疫療法のようにできるだけ正常細胞を傷つけない方法を優先して行われているが、「がん悪玉説」に基づいていることに変わりはない。

そこで、わたしはあえて「がん善玉説」に立ちたいと考えているのである。前述したようにに、がん細胞でも本来の使命をもっていたわけであるから、忘れてしまったその使命を思い出させればよいわけである。それにはがん細胞に注目するのではなく、むしろ周りの正常細胞に注目するのである。細胞間コミュニケーションを強化させるために正常細胞をさらに活性化させるのである。細胞の活性化ということになればミトコンドリアが関連してくるので、「ミトコンドリアはミドリがお好き」に基づき、緑光浴を心掛けるべきだと思う。光が届かない身体の内側には「緑汁」を浸透させればよいだろう。非科学的であり、何の根拠もないと非難されそうだが、これがわたしの研究によって導かれる結論である。いまを生きていることにがん細胞にも感謝しつつ、体表・体内含めた緑光浴療法を楽しめばよいのではないだろうか。

（『自然死への歩み①』終了）

謝　辞

今回、この著作『自然死への歩み①――認知症にならないための覚書』に出版の機会を与えてくださった東京図書出版に深謝いたします。とくに編集室の皆さまには校正などで大変にお世話になりました。心より感謝申し上げます。

ライフワークに決めた『自然死への歩み』には、わたしの独断と偏見が満ちているかもしれません。そうした点に対し、読者の皆さまからご批判やご意見をいただけましたら望外の喜びであり、次の著述作業への大きな活力になるに違いありません。今後ともどうぞよろしくお願いいたします。

令和3年1月

木暮信一

木暮　信一（こぐれ　しんいち）

1950年　群馬県生まれ
1969年　群馬県立高崎高校卒業
1973年　群馬大学工学部電子工学科卒業
1975年　群馬大学大学院工学研究科修了、工学修士
1979年　群馬大学大学院医学研究科修了、医学博士
同　年　日本医科大学・助手
1984年　日本医科大学・講師
1989年　創価大学生命科学研究所・助教授
　　　　㈶東洋哲学研究所・研究員（2010年まで）
1991年　創価大学工学部・助教授
1994年－1995年　ブリティィッシュ・コロンビア大学神経学研究所・客員研究員
1997年　「てんかん治療研究振興財団・研究褒賞」受賞
2002年　創価大学工学部・教授（大学院教授・兼担）
2009年　「国際レーザー治療学会・The Best Speech Award」受賞
2019年　創価大学・名誉教授、現在に至る

日本医科大学および創価大学在職期間は神経生理学・てんかん学・レーザー医学・ニューロフォトニクスなどの分野の専門研究を行ってきた。東洋哲学研究所在職中はおもに生命倫理問題を研究してきた。単著として『わたしの夏季大学講座 ―― 創発的健康観のすすめ』（2000年、第三文明社）や『ミトコンドリアはミドリがお好き！ ―― 究極のヒューマン・パワー・プラント』（2015年、東京図書出版）がある。そのほか「てんかん学」「レーザー治療学」「生命倫理学」に関する論文・共著が多数ある

自然死への歩み①

認知症にならないための覚書

2021年 2 月28日　初版第 1 刷発行

著　　者　木暮信一
発 行 者　中田典昭
発 行 所　東京図書出版
発行発売　株式会社 リフレ出版
〒113-0021　東京都文京区本駒込 3-10-4
電話 (03)3823-9171　FAX 0120-41-8080
印　　刷　株式会社 ブレイン

ISBN978-4-86641-384-6 C0095
Printed in Japan 2021